Sir Arthur Conan Doyle

SHERLOCK HOLMES

Um escândalo na Boêmia
e outras aventuras

Um escândalo na Boêmia
Parte 1

Para Sherlock Holmes ela será sempre a mulher. Eu o tenho escutado mencionar o seu nome, mais do que qualquer outro nome. Em seus olhos, ela é a visão mais predominante e fascinante de todas. Não que ele sentisse alguma emoção semelhante ao amor por Irene Adler. Todas as emoções, e aquelas particularmente, eram repugnantes para sua mente fria, precisa, porém admiravelmente equilibrada. Ele era, eu imagino, a máquina de observação mais perfeita que o mundo já viu, mas, como amante, ele havia se colocado na posição errada. Ele nunca falou sobre paixões ou amores. Essas eram coisas admiráveis para um observador, excelentes para justificar as ações e os motivos de um homem. Mas, para alguém treinado na racionalidade, admitir tais sentimentos era algo muito delicado, ou pior, era como se introduzisse um fator que lhe causaria muitas dúvidas sobre seus resultados enquanto detetive. Nada poderia ser mais perturbador para alguém como Holmes do que uma forte emoção. Ainda assim, só houve uma mulher para ele, e essa era a falecida Irene Adler.

Eu não estava vendo Holmes ultimamente. Meu casamento nos afastou muito. Minhas prioridades e interesses em ser feliz e fazer da minha casa um lugar seguro e alegre consumiram todas as minhas atenções. Holmes, que detestava qualquer forma de união, permanecia em Baker Street enfiado nos livros, alternando entre a leitura e as experiências com entorpecentes. Ele ainda era muito apaixonado por estudar crimes e mistérios e ocupava sua mente com a sua capacidade extraordinária de observar e encontrar pistas que solucionassem mistérios já abandonados pelas autoridades e policiais. De tempos em tempos, eu ouvia coisas sobre a sua atuação: no caso do assassinato de Trepoff, na tragédia dos irmãos Atkinson e ainda sobre o delicado e bem-sucedido caso da família real holandesa. Através dessas informações, eu podia ter uma ideia de como andava meu antigo amigo e companheiro.

Na noite de vinte de março de 1888, eu estava voltando de uma jornada com um paciente (eu havia voltado para minha prática), quando o caminho acabou me levando a Baker Street. Assim que eu passei pela porta, vieram as lembranças sobre os casos em que trabalhamos juntos, os incidentes de *Um estudo em vermelho*, e eu fui tomado por uma enorme vontade de ver Holmes de novo e de saber como ele estava usando suas habilidades extraordinárias. Os quartos estavam todos acesos, conforme eu observei pelo corredor, e lá estava a silhueta alta e magra refletida como sombra. Ele andava de um lado para o outro, com a cabeça baixa e os braços para trás. Para mim, cada movimento seu me dizia muita coisa. Ele estava trabalhando de novo. Parecia ter saído daquela loucura dos entorpecentes e estava entusiasmado para resolver mais um problema. Eu toquei a campainha e fiquei aguardando em frente àquele local que, um dia, também havia sido meu.

Sua maneira não era efusiva, raramente era, mas eu imagino que ele estava feliz por me ver. Mal disse uma palavra, olhou-me de forma gentil, conduziu-me até a poltrona e abriu uma caixa... uma caixa de charutos. Depois, ele parou em frente à lareira e me observou com aquele seu jeito introspectivo e peculiar.

— O casamento lhe caiu bem — disse ele. — Eu acho que você ganhou uns três quilos e meio desde a última vez que eu o vi.

— Três! — respondi.

— Três? Achei que fosse um pouco mais, Watson. Percebo que você está trabalhando de novo, mas não tinha me dito que voltaria a exercer sua profissão.

— E de onde você tirou isso?

— Eu vejo, eu deduzo. Eu também sei que você pegou muita chuva nestes dias e tem uma empregada descuidada e desajeitada.

— Meu caro Holmes — disse eu –, isso já é demais. Você certamente teria sido queimado vivo se tivesse vivido há alguns séculos. É verdade que, na quinta-feira, eu fui passear no campo e voltei encharcado, mas eu troquei de roupa e não sei como você descobriu isso. Quanto a minha empregada, ela é incorrigível, e minha esposa a despediu, mas também não sei como você adivinhou.

Ele deu uma leve risada nervosa e começou a esfregar suas mãos uma na outra.

— É muito simples — disse ele. — Meus olhos dizem que, do lado de dentro de seu sapato esquerdo, exatamente onde a luz do fogo ilumina, o couro está marcado por seis cortes quase paralelos. Obviamente eles foram causados por alguém que raspou muito descuidadamente as bordas da sola para remover a crosta de lama. Veja, então, a minha dupla dedução de que você esteve caminhando sob mau tempo e que possui uma empregada incapaz de limpar bem os seus sapatos. Quanto à sua profissão, se um cavalheiro entrar no meu aposento cheirando a iodofórmio, com uma mancha de nitrato de prata sobre o indicador direito e uma protuberância na cartola que mostra onde ele escondeu o seu estetoscópio, devo ser muito tolo se não reconhecer que ele é um membro ativo da profissão médica.

Não pude deixar de rir da facilidade com que ele explicou o seu processo de dedução.

— Quando eu ouço você dar os seus motivos — disse eu –, a coisa sempre me parece ridiculamente simples, que eu poderia facilmente fazê-lo sozinho. Mas, quando você passa a explicar seu processo, eu já estou totalmente desconcertado. E, ainda assim, acredito que meus olhos sejam tão bons como o seu.

— Pare com isso — disse Holmes acendendo um cigarro e se atirando contra a poltrona. — Você vê, mas não observa. A diferença é clara. Você já viu, por exemplo, os degraus que levam do hall até esta sala.

— Muitas vezes.

— Quantas vezes?

— Bem, algumas centenas de vezes.

— Então, quantos degraus são?

— Quantos? Eu não sei.

— Está vendo?! Você não observou, mesmo que tenha visto. Esse é o meu ponto. Agora, eu sei que são dezessete degraus, porque eu vi e observei. Falando nisso, já que você está interessado nesses pequenos problemas, e como você é bom o suficiente para reparar em uma ou duas das minhas experiências insignificantes, você deve se interessar por isso.

Ele pegou um pedaço de papel que estava sobre a mesa.

— Chegou pelo correio — disse. — Leia em voz alta!

O bilhete estava sem data, sem endereço de remetente e sem assinatura. Estava escrito:

Ele virá atrás de você hoje à noite, às sete horas e quarenta minutos. Um cavalheiro deseja consultá-lo para tratar de um assunto recente. Seus serviços para uma família real europeia mostraram que você é alguém a quem se pode confiar assuntos de alta importância. Esteja no seu escritório no horário mencionado e não peça para que o nosso visitante tire a máscara.

— Isso é de fato um mistério — disse eu. — O que você imagina que signifique?

— Ainda não tenho dados. É um erro capital teorizar

antes de ter os dados. Insensatamente, as pessoas começam a distorcer os fatos para se adequarem às teorias, em vez de elaborar teorias para se adequarem aos fatos. Quanto ao bilhete em si, o que você deduz dele?

Eu examinei cuidadosamente o texto e o papel em que ele estava escrito.

— O homem que escreveu isso certamente se preparou para fazê-lo — disse eu. — Este papel só pode ter sido adquirido em um pacote real. Ele é peculiar e espesso.

— Peculiar, essa é a palavra — disse Holmes. — Não é um papel feito na Inglaterra. Segure-o na direção da luz.

Assim que segurei o papel na direção da luz, eu vi um "E" maiúsculo junto com um "g" minúsculo e um "P" e um "G" maiúsculos junto com um "t" minúsculo sobrepondo-se à textura do papel.

— O que você acha disso? — perguntou Holmes.

— Isso é, sem dúvida alguma, o nome de quem fez seu monograma.

— Nenhum dos dois. O "G" com o pequeno "t" vem de Gcsellschaft, que é o termo alemão para empresa. É uma sigla, assim como algumas que temos na nossa língua. Esse bilhete veio de um pequeno lugar no qual se fala alemão, a Boêmia. É lembrada por ser a cena da morte de Wallenstein e pela enorme quantidade de fábricas de vidro e papel. O que você acha disso?

Seus olhos brilharam e ele exalou uma nuvem triunfante de seu cigarro.

— O papel foi feito na Boêmia — respondi.

— Precisamente! E o homem que escreveu é alemão. Você pode notar uma construção peculiar da frase. Um francês ou um russo não escrevem dessa forma. Os alemães escrevem assim. Só nos resta descobrir o que esse alemão quer escrevendo num papel boêmio e preferindo usar uma máscara a mostrar seu rosto. E lá vem ele, se eu não estou enganado, para resolver todas as nossas dúvidas.

Assim que ele terminou de falar, pudemos ouvir o som de cavalos, de rodas e de um sino. Holmes assobiou.

— Um par, pelo som — disse ele. — Sim — continuou olhando pela janela. — Uma bela carruagem. Um bom dinheiro. Tem um bom dinheiro nesse caso, Watson.

— Acho melhor eu ir, Holmes.

— Nem pensar, doutor. Fique onde você está. Fico perdido sem meu parceiro. E isso promete ser interessante. Seria uma pena perder.

— Mas o seu cliente...

— Esqueça-o. Eu posso precisar de sua ajuda, logo ele também precisará. Lá vem. Sente-se na poltrona, doutor, e nos dê o melhor de sua atenção.

Passos lentos e pesados que vinham na direção da porta pararam imediatamente no lado de fora. Então houve um alto e autoritário toque na porta.

— Entre! — disse Holmes.

Um homem entrou. Dificilmente poderia ter menos

de dois metros de altura, com o peito e os membros de um Hércules. Estava vestido como um rico, de um jeito que, na Inglaterra, seria comparado ao mau gosto. Bandas pesadas de veludo foram cortadas para fazer as mangas e frentes de seu casaco de colarinho duplo, enquanto um manto azul profundo, que foi jogado sobre seus ombros, feito de seda de cor flamejante, estava preso por um único broche composto por um berilo. Botas marrons com pelos, que se estendiam a meio caminho de suas panturrilhas, completaram a impressão de uma opulência bárbara, o que foi sugerido por toda a sua aparência. Ele carregava um chapéu de alça larga na mão, enquanto na parte superior de seu rosto usava uma máscara que se estendia para além das maçãs do rosto. Parecia ser um homem de caráter forte, com um lábio espesso e carnudo, e um queixo sujo, longo e reto, de resolução empurrada para o comprimento da obstinação.

— Você recebeu meu bilhete? — perguntou ele com uma voz grossa e um sotaque alemão. — Eu disse que viria — ele olhou para nós com um olhar desconfiado.

— Por favor, sente-se — disse Holmes. — Esse é meu colega, Dr. Watson, que ocasionalmente me ajuda nos meus casos. A quem eu tenho a honra de me dirigir?

— Você pode se dirigir a mim como Conde Von Kramm, um nobre boêmio. Eu entendo que esse cavalheiro, seu colega, seja um homem de honra e discrição, com quem eu compartilharia um caso que não fosse de extrema importância, como esse. Eu prefiro conversar com você a sós.

Eu me levantei para sair, mas Holmes me pegou e puxou

de volta para a cadeira.

— Somos nós dois ou nenhum — disse ele. — Você pode dizer na frente desse homem tudo o que diria a mim.

O conde balançou os ombros e disse:

— Então eu vou começar pedindo que vocês mantenham em segredo, nos próximos dois anos, tudo o que for dito. No fim dessa data, isso não terá mais importância. Agora, não exagero ao dizer que o que direi tem peso para influenciar a história da Europa inteira.

— Eu prometo — disse Holmes.

— Eu também.

— Vocês me desculpem a máscara — continuou nosso estranho visitante. — Meu chefe deseja que eu seja desconhecido por vocês, e eu lhes adianto que o título que eu disse a vocês não é exatamente o meu.

— Eu tinha certeza disso — disse Holmes, de forma seca.

— As circunstâncias são muito delicadas, e qualquer precaução é mínima diante do que pode ser um imenso e seriíssimo escândalo que compromete o reinado de uma das famílias da Europa. Para falar mais claramente, o assunto se refere à Casa de Ormstein, os reis da Boêmia.

— Eu também tinha certeza disso — murmurou Holmes enquanto se deitava na cadeira e fechava seus olhos.

Nosso visitante olhou com alguma aparente surpresa para Holmes, a figura descontraída do homem que, sem dúvida, havia sido retratado para ele como o detetive com raciocínio mais incisivo e o agente mais enérgico da Europa. Holmes lentamente reabriu os olhos e olhou com impaciência para o gigantesco cliente.

— Se Sua Majestade foi condescendente em lhe passar o caso dizendo que viesse a mim — disse Holmes –, eu sou a melhor pessoa para aconselhá-lo.

O homem levantou-se irritado e começou a sair da sala de forma muito agitada. Então, em um gesto desesperado, ele arrancou a máscara do rosto, jogou-a no chão e gritou:

— Você está certo! Eu sou o rei! Por que eu preciso me esconder?

— De fato, por quê? — murmurou Holmes. — Vossa Majestade não tinha ainda falado e eu já sabia que estava me dirigindo a Wilhelm Gottsreich Sigismond von Ormstein, o grande duque de Cassel-Felstein e rei hereditário da Boêmia.

— Você é capaz de me entender — disse nosso visitante sentando-se novamente com as mãos no rosto, de forma tensa. — Você pode entender que eu não estou acostumado a fazer coisas desse tipo, mas o assunto é tão delicado, que eu não poderia confiá-lo a nenhum agente sem que eu me colocasse nas suas mãos. Eu vim de Praga de forma anônima, apenas para consultá-lo.

— Então vamos, continue — disse Holmes fechando seus olhos novamente.

— Resumidamente, os fatos são estes: há cinco anos,

durante uma visita à Varsóvia, eu conheci a famosa aventureira Irene Adler. Com certeza, o nome lhe soa familiar.

— Por favor, procure-a nos meus arquivos, doutor — murmurou Holmes sem abrir os olhos.

Havia muitos anos que ele adotara o sistema de documentar as pessoas junto a parágrafos que se relacionassem a suas histórias. Era difícil encontrar um nome ou um assunto que não tivesse nenhuma informação a mais relacionada. Nesse caso, a biografia de Irene estava entre a de um Rabi judeu e a de um Comandante que escrevera uma monografia sobre os peixes do fundo do mar.

— Deixe-me ver! — disse Holmes. — Hum! Nascida em New Jersey no ano de 1858. Contralto, hum! La Scala, hum! Mulher estimada dentro da Ópera de Varsóvia! Aposentada dos palcos! Vive em Londres e é isso! Vossa Majestade, pelo que pude concluir, deve ter escrito algumas cartas comprometedoras para essa mulher e gostaria de recuperá-las.

— Precisamente. Mas como?

— Por acaso estamos falando de um casamento secreto?

— Não.

— Nenhum documento legal ou certificados?

— Não.

— Então não faz sentido eu ajudá-lo, Vossa Majestade. Se essa mulher usa essas cartas para chantagem, como ela pode provar a autenticidade dos documentos?

— Tem a minha letra.

— Ah, forjada!

— Meu papel timbrado.

— Roubado.

— Minha própria rubrica.

— Imitada.

— Minha foto.

— Comprada.

— Nós estamos juntos na foto.

— Oh, querido! Isso é péssimo! De fato, Vossa Majestade está comprometido de forma indiscreta!

— Eu estava louco, insano...

— Vossa Majestade se comprometeu de forma séria.

— Eu tinha acabado de ser coroado príncipe na época. Eu era jovem. Eu já tenho trinta agora.

— Esse material precisa ser recuperado!

— Nós tentamos e falhamos.

— Vossa Majestade deverá pagar. Compre dela.

— Ela jamais irá vender.

— Roube então.

— Cinco tentativas já foram feitas. Já paguei assaltantes para saquearem sua casa. Uma vez desviei suas bagagens durante uma viagem. Ela sempre se safa. Não tivemos resultado.

— Nenhum sinal das coisas?

— Absolutamente nenhum.

Holmes deu risada.

— Temos um pequeno problema — disse ele.

— Para mim é muito sério — disse o rei com um tom de desaprovação.

— De fato, muito sério. E o que ela pretende fazer com a foto?

— Destruir-me.

— Mas como?

— Eu estou prestes a me casar.

— Eu ouvi sobre isso.

— Vou me casar com Clotilde Lothman von Saxe-Meningen, a segunda filha do rei da Escandinávia. Você deve conhecer os princípios rígidos de sua família. Ela é a própria delicadeza e elegância em pessoa. Uma sombra de dúvida sobre a qualidade da minha conduta já acabaria com tudo.

— E Irene Adler?

— Ameaçou enviar a eles a fotografia. E ela fará isso. Eu sei que fará. Você pode não conhecê-la, mas ela tem uma alma má. Ela tem o rosto mais bonito do que qualquer outra mulher e a mente do mais sábio homem. Ela não terá limites para tentar fazer com que eu não me case com outra mulher.

— Você tem certeza de que ela ainda não enviou?

— Eu tenho certeza.

— Como?

— Porque ela disse que faria no dia em que a nossa união fosse proclamada publicamente. Isso acontecerá na próxima segunda-feira.

— Oh, então nós só temos três dias — disse Holmes. — O senhor é um homem de sorte, porque eu só tenho um ou dois assuntos importantes para resolver agora. Vossa Majestade, com certeza, ficará em Londres por enquanto?

— Certamente. Você pode me encontrar no Langham, procure pelo nome de Conde Von Kramm.

— Então eu lhe deixarei uma nota para deixá-lo a par de como estamos progredindo.

— Estarei aguardando ansioso.

— E quanto ao pagamento?

— Você tem carta branca.

— Absolutamente?

— Eu lhe digo que entregaria uma das províncias do meu reino para ter essa fotografia de volta.

— E para as despesas atuais?

O rei pegou uma bolsa parruda que estava pendurada abaixo de seu relógio e colocou na mesa.

— Estão aqui trezentas moedas de ouro e setecentas libras — disse ele.

Holmes escreveu um recibo em seu caderno de notas e entregou a ele.

— E o endereço da mademoiselle? — perguntou.

— Briony Lodge, fica na Avenida Serpertine em St. John's Wood.

Holmes anotou a informação.

— Mais uma questão — disse. — A foto foi tirada em uma cabine?

— Sim, foi.

— Então, boa noite, Vossa Majestade, eu acredito que nós teremos boas notícias em breve. E boa noite, Watson — acrescentou enquanto as rodas da carruagem real desciam rápido pela rua. — Se você puder me ligar amanhã depois das três da tarde, eu gostaria de discutir esse caso com você.

Parte 2

Às três da tarde do dia seguinte, eu estava na Baker Street, mas Holmes não tinha voltado ainda. A empregada me informou que ele tinha saído de casa por volta das oito da manhã. Eu me sentei próximo à lareira disposto a esperar o tempo que fosse para poder conversar com ele. Eu já estava profundamente interessado no seu inquérito, embora não estivesse associado a nenhum mistério estranho como estavam os dois últimos casos em que trabalhei. A natureza desse caso me deixava intrigado.

Eu estava quase saindo quando, de repente, a porta se abriu e entrou um sujeito completamente embriagado, com perfume de uísque, cara inchada e as roupas desajeitadas. Eu estava acostumado com meu velho amigo genial e cheio de sacadas inteligentes. Foi difícil aceitar que aquela pessoa em minha frente era, de fato, ele. Acenando a cabeça, ele foi na direção do quarto e sumiu por alguns minutos; quando voltou, gargalhou.

— Bem, realmente! — gritou ele, e então gargalhou novamente e foi obrigado a sentar-se na cadeira para não cair.

— O que é isso?

— Chega a ser engraçado. Eu duvido que você imagine o que eu fiz a manhã toda e terminei o dia fazendo.

— Eu posso imaginar. Eu suponho que você esteve observando a casa e as tarefas de Miss Irene Adler.

— Mais ou menos isso. A sequência foi bastante incomum. Deixe-me contar. Saí de casa um pouco depois das oito horas disfarçado de cocheiro em busca de trabalho. Existe um companheirismo entre os cocheiros. Seja um deles, e você saberá tudo o que há para saber. Eu logo encontrei Briony Lodge. É uma vila, com um jardim na parte de trás, mas construído na frente de uma estrada. Há um bloqueio na entrada. A casa tem uma sala de estar no lado direito, bem mobiliada, com janelas longas quase até o chão, que uma criança poderia abrir. Nos fundos não havia nada de notável, a não ser que, do alto da cocheira, é possível alcançar a janela do corredor. Andei por lá e examinei de perto de todos os pontos de vista, mas sem notar qualquer outra coisa de interesse. Então fui descendo a rua principal e achei, como eu esperava, muitos homens reunidos próximos ao estábulo dos cavalos. Conversei com eles e depois de algumas doses e alguns charutos acumulei tanta informação quanto eu poderia desejar sobre Miss Adler e outra meia dúzia de pessoas do bairro nas quais eu não estava interessado, mas cujas biografias eu fui obrigado a ouvir.

— E o que você ouviu sobre Irene Adler? — perguntei.

— Oh, essa mulher virou a cabeça de todos os homens para baixo. Ela é a coisa mais delicada e bela deste planeta. Ela vive calmamente, canta em concertos, sai todos os dias às cinco horas e retorna às sete para jantar, salvo em raras ocasiões, quando ela canta à noite. Tem apenas um visitante do sexo masculino, mas tem um bom negócio com ele. Ele é moreno, bonito e arrojado e a visita ao menos duas vezes por dia. Ele é Mr. Godfrey Norton, do Templo Interior. Veja as vantagens de ter me aproximado deles. Fiquei sabendo tudo sobre as pessoas da região e, quando terminei, comecei a caminhar novamente para perto de Briony Lodge para pensar no meu plano de ação. Esse tal de Godfrey Norton é evidentemente um fator importante no assunto. Ele é advogado. Isso me soa suspeito. Qual a relação que existe entre eles e qual o motivo das visitas repetidas? Seria ela sua cliente, sua amiga ou sua amante? Se for a primeira opção, ela provavelmente transferiu a foto para que ele a guarde; se considerarmos a segunda, acho mais improvável. A questão é se eu devo continuar em Briony Lodge ou devo partir minha atenção para os aposentos do cavalheiro no Templo. É um ponto delicado, e pode mudar todo o destino da minha investigação. Tenho medo de entediá-lo com esses detalhes, mas eu preciso que você enxergue um pouco das minhas dificuldades para que possa compreender a situação em si.

— Estou acompanhando você, continue — disse eu.

— Eu ainda estava refletindo sobre meus próximos passos quando um táxi parou e dele desceu um homem moreno, bonito e arrojado. Com certeza era o homem sobre o qual eu tinha ouvido. Parecia estar com pressa e gritou para o motorista do táxi que o esperasse. Ele passou pela empregada da porta com ar de um homem que estivesse literalmente em casa. Ele ficou na casa por aproximadamente meia hora, e eu pude vislumbrá-lo pela janela, sentado na sala de estar, falando de forma animada e balançando seus braços. Dela, eu não podia ver nada. De repente, ele se levantou com mais pressa ainda do que antes. Entrou no táxi, puxou um relógio de ouro do bolso e, ao olhar as horas, disse: "Dirija como o capeta, primeiro para Gross e Hankey's na Rua Regent e, depois, para a Igreja de Santa Mônica na estrada Edgeware. Pago-lhe o dobro se fizer o percurso em vinte minutos!". Então ele se foi, e eu fiquei imaginando se deveria segui-lo ou não. Decidi esperar até que a mulher saísse. Eu só pude percebê-la passando como um *flash* e entrando em um carro. "Para a Igreja Santa Mônica, John", gritou ela, "eu lhe pago o dobro se você alcançá-lo em vinte minutos".

Holmes prosseguiu animado:

— Isso era bom demais para eu perder, Watson. Eu me perguntava se deveria correr atrás dela ou pegar o próximo táxi que passasse pela rua. E, quando passou o primeiro motorista, pulei para dentro e disse: "Para a Igreja Santa Mônica, e lhe pago o dobro se você chegar em vinte minutos". Meu taxista dirigiu rápido. Eu acho que nunca andei tão rápido, mas os outros estavam a nossa frente. O táxi e o outro carro estavam na porta da frente quando eu cheguei. Eu paguei ao motorista e entrei na igreja. Não havia uma alma viva lá, a não ser os dois que eu havia seguido. Eles estavam sentados em frente ao altar. De repente, para minha surpresa, eles se viraram para mim e Godfrey Norton veio correndo o mais rápido que pôde para me alcançar. "Obrigado, Senhor!", gritou ele, "Você aceitou. Venha! Venha!". Eu perguntei o que estava acontecendo, mas o homem insistiu: Venha, homem, venha, nós temos apenas três minutos ou isso se tornará ilegal".

Holmes suspirou e continuou:

— Eu fui arrastado até o altar e, antes que pudessse entender o que acontecia, passei a repetir e a confirmar frases que me eram sussurradas ao ouvido. Lá estava eu, atestando coisas que não conhecia e ajudando no casamento de Irene Adler, solteira, com Godfrey Norton, solteiro. Tudo foi muito rápido. O cavalheiro me agradecia de um lado, a mulher de outro, enquanto o clérigo sorria para mim. Essa foi a posição mais absurda em que me encontrei na minha vida, e foi essa lembrança que me fez rir agora. Parece que houve alguma irregularidade quanto à união deles, e o clérigo se recusava a casá-los sem uma testemunha. A minha aparição salvou o noivo de ter que sair pelas ruas em busca de alguém que servisse de testemunha. A noiva me deu um presente, que poderei usar na corrente de meu relógio em memória da ocasião.

— Essa é uma união de amantes muito inesperada — disse eu. — E depois?

— Bem, nessa situação encontrei meus planos muito seriamente ameaçados. Parecia que o casal poderia partir imediatamente, e isso necessitaria de medidas muito rápidas e enérgicas de minha parte. Na porta da igreja, no entanto, eles se separaram. Ele dirigindo de volta ao Templo, e ela para sua própria casa. "Devo sair no parque às cinco horas como de costume", disse ela enquanto o deixava. Não ouvi mais nada. Eles partiram em diferentes direções, e eu fui fazer minhas coisas.

— Que são?

— Comer uma carne e tomar uma cerveja — respondeu ele, tocando o sino. — Tenho andado muito ocupado para pensar em comida e estou prestes a ficar ainda mais atarefado. A propósito, doutor, vou precisar de sua colaboração.

— Eu fico lisonjeado.

— Você não se importa de desobedecer à lei?

— Nem um pouco.

— Nem de correr o risco de ser preso?

— Não se for por uma boa causa.

— Ah, essa causa é excelente!

— Então eu sou o seu homem.

— Eu tinha certeza de que poderia contar com isso.

— Mas o que você deseja?

— Quando Mrs. Turner trouxer a bandeja com minha comida, eu tentarei deixar mais claro para você. Vamos conversando enquanto eu como, pois não temos muitas horas. São cinco horas. Em duas horas eu preciso estar na cena de ação.

— E fazer o quê?

— Você precisa deixar essa parte para mim. Eu já imagino o que vai ocorrer. Só existe um ponto sobre o qual eu preciso insistir. Você não pode interferir, aconteça o que acontecer. Você entendeu?

— Eu devo ficar neutro?

— Você não deve fazer nada. Provavelmente haverá pequenas coisas desagradáveis. Não se junte a elas. Quatro ou cinco minutos depois de entrar, a janela da sala de estar vai se abrir. Você deverá ficar perto dessa janela.

— Sim.

— Você deverá me observar. Eu estarei visível.

— Sim.

— E, quando eu levantar a mão, você jogará para dentro aquilo que eu vou lhe dar para jogar e gritará "fogo". Você me acompanhou?

— Inteiramente.

— Não será nada muito formidável.— disse ele pegando um cigarro longo de dentro de seu bolso. — É a fumaça de um rojão comum, equipado com uma tampa em qualquer extremidade para torná-lo iluminado. Sua tarefa está limitada a isso. Quando você der o seu grito: "Fogo!", ele será repetido por uma série de pessoas. Você poderá então caminhar até o final da rua e eu o encontrarei em dez minutos. Fui claro?

— Eu devo permanecer neutro, ir até a janela, observá-lo, e, assim que você levantar a mão, eu devo começar a gritar sobre um incêndio e então partir para esperá-lo na esquina.

— Precisamente isso.

— Então você pode contar comigo tranquilamente.

— Isso é excelente. Eu acho que agora está quase na hora

de me preparar para o novo jogo que eu tenho que jogar.

    Ele desapareceu em seu quarto e voltou poucos minutos depois vestido como um adorável e amigável clérigo. Seu chapéu preto, sua gravata branca, seu sorriso simpático e a aparência geral de pura benevolência eram tantas, que só Mr. John Hare poderia ser equivalente. Holmes não tinha mudado apenas sua aparência, mas a sua expressão, os seus modos, a sua própria alma e tudo o que ele era. Os palcos perderam um grande ator e a ciência perdeu um grande sábio quando ele decidiu se tornar um especialista em crimes.

    Eram seis e quinze quando deixamos Baker Street. Já estava anoitecendo e as lâmpadas iluminavam a rua enquanto caminhávamos de um lado para outro na frente de Briony Lodge aguardando a chegada de sua moradora. A casa era exatamente como imaginei na descrição sucinta de Sherlock Holmes, mas a localidade parecia ser menos privada do que eu esperava. Para uma pequena rua em um bairro tranquilo, era notavelmente animada. Havia um grupo de homens malvestidos fumando e rindo em uma esquina, uma roda com pessoas conversando, dois guardas que estavam flertando com uma enfermeira e vários rapazes elegantes que estavam fumando um charuto atrás do outro.

    — Veja — disse Holmes conforme andávamos em frente da casa –, esse casamento simplifica as coisas. A fotografia se tornou uma faca de dois gumes. As chances de ela não querer que Mr. Godfrey Norton veja a foto são grandes. Agora a questão é: onde encontrar a fotografia?

    — De fato, onde?

— É mais improvável que ela a carregue com ela. É uma foto de gabinete, deve ser grande e muito larga para se encaixar em um vestido de mulher. Ela sabe que o rei é capaz de tudo para ter essa foto. Duas tentativas já foram feitas. O que nos leva a crer que ela não carrega a foto consigo.

— Onde carrega então?

— No banco ou com seu advogado. Existem essas duas possibilidades, mas estou inclinado a crer que não seja nenhuma das duas. Essa mulher é naturalmente secreta e gosta de ter seu próprio jeito de fazer as coisas. Por que ela entregaria a outra pessoa? Ela poderia confiar a fotografia a um guardião, mas com certeza não poderia expor a ele o poder que aquela pequena fotografia tem e os perigos aos quais ele estaria exposto por guardá-la. Ainda mais, lembre que ela resolveu usar a foto há alguns dias. Deve estar em um lugar que ela possa acessar constantemente. Deve estar em sua casa.

— Mas a casa já foi arrombada duas vezes!

— Ora! Mas eles não sabem como procurar.

— Mas como você procuraria?

— Eu não vou procurar. Eu vou fazer com que ela me mostre.

— Mas ela irá recusar.

— Ela não será capaz. Escuto o barulho de rodas. É a carruagem dela. Agora siga minhas ordens.

Assim que ele terminou de falar, pudemos ver o brilho da carruagem chegando. Logo que parou, começou uma disputa entre os guardas, pois alguém quase havia sido roubado e cada vez mais pessoas foram se aglomerando na briga que virou uma grande confusão. Desse furdunço, saiu Irene Adler. Holmes se aproximou para tentar protegê-la, mas, no instante em que ela acelerou seu passo, ele saiu correndo, caiu com seu rosto no chão e o sangue começou a escorrer de sua face. Ela gritou e parou observando tudo de seu jeito sublime e sua aparência esplendorosa.

— Esse cavalheiro se machucou? — perguntou ela.

— Ele está morto — gritaram vários.

— Não, não, ele está com vida! — gritaram outros. — Levem-no para o hospital.

— Ele é um homem corajoso — disse uma mulher. — Eles teriam roubado a bolsa e o relógio da mulher se não fosse por ele. Veja, ele está suspirando, um, dois...

— Ele não pode ficar aqui fora deitado na rua. Posso levá-lo para dentro?

— Com certeza. Tragam-no para a sala de estar. Tem um sofá confortável. Por aqui, entrem!

Devagar ele foi levado para Briony Lodge e deitado na sala principal, enquanto eu observava tudo de meu posto na janela. As lâmpadas estavam apagadas, mas eu podia ver Holmes perto do sofá. Eu não sabia o que sentir naquele momento, mas sabia que ele estava jogando. Eu nunca em minha vida senti mais vergonha de mim mesmo do que naquele dia, quando vi a bela criatura, contra quem eu estava conspirando, inclinando-se sobre o homem ferido com graça e bondade.

Seria uma traição terrível de minha parte se eu voltasse atrás na etapa do plano que ele havia confiado a mim. Eu endureci meu coração e tirei o foguete de baixo do meu sobretudo. Afinal, pensei, não a estava ferindo. Nós estávamos impedindo-a de ferir outra pessoa. Holmes sentou-se no sofá, e eu vi o movimento como de um homem que precisa de ar. Uma empregada correu e abriu a janela. No mesmo instante, vi-o levantar a mão e, ao sinal, joguei meu foguete na sala com um grito: "Fogo!". A palavra mal havia saído da minha boca e toda a multidão de espectadores, os elegantes e os maltrapilhos, os cocheiros e as empregadas domésticas, juntou-se ao grito geral de "fogo!". Nuvens grossas de fumaça se formavam na sala e saíam pela janela aberta. Eu vislumbrei figuras apressadas e, um momento depois, a voz de Holmes assegurando-lhes que era um falso alarme. Deslizando em meio à multidão, gritando, eu fiz meu caminho para a esquina da rua e, em dez minutos, alegrei-me por encontrar meu braço amigo e por me afastar da cena do tumulto. Holmes caminhou até mim rapidamente e seguimos por uma das ruas tranquilas que levam até Edgeware Road.

— Você fez tudo certo, doutor — disse ele. — Nada poderia ter sido melhor. Está tudo certo.

— Você pegou a foto?

— Eu sei onde está.

— E como você descobriu?

— Ela me mostrou, como eu disse que faria.

— Ainda não entendo.

— Eu não quero fazer nenhum mistério — disse ele rindo. — A questão é perfeitamente simples. Você, é claro, viu todos na rua. Estavam todos preparados para a noite.

— Eu acho que até demais.

— Então, quando começou a confusão, eu tinha um pouco de tinta vermelha em minha mão. Eu me aproximei correndo, caí, coloquei minha mão sobre meu rosto e aquilo virou um maravilhoso espetáculo. É um velho truque.

— Eu quase acreditei.

— Então eles me carregaram para dentro. Ela foi quase obrigada a me deixar entrar. O que mais ela poderia fazer? Então, dentro de sua sala de estar, que era exatamente como eu suspeitava, eu deitei. Estava deitado na direção do seu quarto e determinado a enxergá-lo. Eles me posicionaram em um sofá e abriram completamente a janela. Foi quando você teve sua chance.

— E como isso o ajudou?

— Tudo foi importante. Quando uma mulher pensa que sua casa está em chamas, seu instinto a leva a rapidamente procurar as coisas que ela mais valoriza. Foi um impulso certeiro e eu tive mais de uma vantagem nisso. No caso dos Darlington, e também no do Castelo de Arnsworth, foi a mesma coisa. A mulher casada pega seu bebê, a mulher solteira, sua caixa de joias. Agora está claro para mim que "nossa senhora" não tem nada mais precioso para si naquela casa do que o objeto em questão. Ela se apressou para protegê-lo. A fumaça e a gritaria levaram seus nervos à loucura. Ela respondeu perfeitamente. A foto está atrás de um painel deslizante logo acima da campainha. Ela chegou lá em um instante e rapidamente pegou algo. Quando eu gritei que era um alarme falso, ela colocou de volta no local, saiu correndo para os quartos e eu não a vi mais. Eu levantei e, pedindo desculpas, escapei da casa. Eu até tentei pegar a fotografia, mas um homem se aproximou e me olhou atentamente. Qualquer movimento precipitado poderia colocar tudo por água abaixo.

— E agora? — perguntei.

— Nossa questão está praticamente finalizada. Eu virei com o rei amanhã, e com você, caso queira vir junto. Nós iremos aparecer na sala de estar e esperar pela moça. Mas é possível que, quando ela chegue, ela não encontre nenhum de nós, nem a fotografia.

— A que horas você virá?

— Às oito da manhã. Ela não terá acordado, então nós teremos o território limpo. Entretanto, nós precisamos estar preparados caso esse casamento tenha modificado completamente seus hábitos. Eu tenho que avisar o rei logo.

Assim que chegamos a Baker Street, paramos na porta para pegar a chave, quando alguém passou e disse:

— Boa noite, Mr. Sherlock Holmes.

Havia muitas pessoas na rua àquela hora, mas a voz parecia vir de um jovem apressado.

— Eu já ouvi essa voz antes — disse Holmes olhando pela rua. — Agora eu imagino quem possa ter sido.

Parte 3

Eu dormi na Baker Street naquela noite, e nós estávamos pela manhã tostando nossas torradas e preparando o café quando o rei da Boêmia entrou apressado na sala.

— Você conseguiu mesmo? — perguntou ele, com muita expectativa, para Sherlock Holmes.

— Ainda não.

— Mas você tem esperança de que iremos conseguir?

— Sim, tenho.

— Então vamos, estou impaciente para conseguir isso.

— Nós precisamos pedir um táxi.

— Não, meu motorista está esperando.

— Isso facilita as coisas.

Descemos e partimos novamente para Briony Lodge.

— Irene Adler está casada — disse Holmes.

— Casada! Quando?

— Ontem.

— Mas com quem?

— Com um advogado inglês chamado Norton.

— Mas ela não poderia amá-lo.

— Eu espero que ela ame.

— E por quê?

— Porque iria prevenir qualquer medo futuro da sua parte. Se essa moça ama seu marido, ela não o ama mais. E, se ela não o ama mais, não há razão para que ela venha a interferir nos seus planos.

— É verdade. E ainda bem! Eu esperava que ela fosse minha. Que rainha ela seria! — Ele suspirou silenciosamente enquanto nos aproximávamos da Avenida Serpentine.

A porta de Briony Lodge estava aberta, e uma mulher idosa estava esperando em frente aos degraus. Ela nos observava com olhos sádicos conforme nos aproximávamos.

— Mr. Sherlock Holmes, eu imagino? — disse ela.

— Eu sou o Mr. Holmes — respondeu meu companheiro, olhando para ela com um olhar interrogatório e bastante assustado.

— De fato! A madame avisou que você passaria aqui. Ela partiu hoje de manhã com seu marido às 5h15 de trem.

— O quê? — Sherlock Holmes cambaleou de volta, branco, com espanto e surpresa. — Você quer dizer que ela deixou a Inglaterra?

— Para nunca mais voltar.

— E os papéis? — perguntou o rei com voz rouca. — Tudo está perdido.

— Veremos.

Holmes passou pela porta rapidamente, seguido de mim e do rei. A casa estava revirada, gavetas abertas, portas puxadas, parecia que a madame havia pegado aquilo que lhe era mais importante e saído rapidamente. Holmes então puxou o quadro e lá estava a fotografia de Irene Adler de vestido de noite e uma carta destinada ao próprio Sherlock Holmes, datada da noite anterior. Ele então começou a ler.

Meu querido Mr. Sherlock Holmes, você fez tudo muito bem. Enganou-me perfeitamente. Até pouco depois do alarme de incêndio, eu não havia suspeitado de nada. Eu percebi, contudo, que havia me enganado e comecei a pensar. Eu fui avisada sobre você meses atrás. Contaram-me que o agente do rei certamente seria você, e então passaram seu endereço para mim. Ainda assim, com tudo isso, você conseguiu fazer com que eu lhe revelasse o que você queria saber. Eu achei difícil suspeitar de um querido e antigo clérigo, mas, você sabe, como atriz eu fui treinada por mim mesma. Fantasia de homem não é nada novo para mim. Eu já me aproveitei da liberdade que ela traz. Então eu enviei John para observá-lo e ter a certeza de que eu era um objeto de sua atenção. Quando eu o segui até a sua porta, de forma imprudente, desejei-lhe boa noite e fui correndo para o templo encontrar com meu marido. Nós dois pensamos que o melhor recurso seria partir, então por isso você encontrou a casa vazia. Quanto à fotografia, diga a seu cliente que ele pode descansar em paz. Eu amo e sou amada por alguém melhor que ele. O rei pode fazer o que ele quiser, sem a interferência daquela que ele uma vez tratou cruelmente. Eu guardo a fotografia comigo apenas para me proteger, caso um dia ele queira me fazer mal. Eu deixei uma outra fotografia que ele pode gostar de possuir. Verdadeiramente sua, Irene Norton Adler.

— Ah, que mulher! Que mulher! — gritou o rei da Boêmia quando nós acabamos de ler a carta. — Não lhe disse quão rápida e resolutiva ela era? Ela não seria uma rainha admirável? Não é uma pena que ela não esteja no meu nível?

— Pelo que vejo, essa mulher parece estar, definitivamente, em um nível diferente do seu, Vossa Majestade — disse Holmes de forma fria. — Eu peço desculpas por não ter trazido algo mais conclusivo para fecharmos esse caso.

— Pelo contrário, senhor — disse o rei —, nada poderia ser melhor. Eu sei que a palavra dela é consistente. A fotografia está tão segura como se tivesse sido queimada.

— Eu estou feliz que Vossa Majestade pense assim.

— Eu estou eternamente em dívida com você. Diga-me como eu posso recompensá-lo. — ele puxou um anel de esmeralda do seu dedo e segurou na palma de sua mão.

— Vossa Majestade tem algo que eu valorizo ainda mais — disse Holmes.

— Então diga.

— A fotografia!

O rei ficou espantado.

— A fotografia de Irene! — gritou ele. — Certamente, se você deseja.

— Eu lhe agradeço, Vossa Majestade. Então, não há nada mais para se fazer. Eu lhe desejo uma excelente manhã.

Ele curvou-se e, afastando-se sem observar a mão que o rei esticou para ele, partiu na minha companhia.

E foi assim que um grande escândalo ameaçou afetar o reino da Boêmia e que os melhores planos de Mr. Sherlock Holmes foram arruinados pela sagacidade de uma mulher. Ele costumava zombar da inteligência das mulheres, mas não o ouvi fazê-lo nesse caso. E, quando ele fala de Irene Adler, ou se refere a sua fotografia, ela está sempre sob o título honorável de "a mulher".

Um caso de identidade

— Meu querido companheiro — disse Sherlock Holmes enquanto sentávamos em frente à lareira de sua residência na Baker Street —, a vida é infinitamente mais estranha do que qualquer coisa que a mente possa inventar. Nós não ousaríamos conceber as coisas que a própria realidade nos coloca à frente. Se pudéssemos sair por essa janela e passar por cada canto desta cidade, observando tudo o que está acontecendo, toda ficção se tornaria obsoleta e não lucrativa.

— E ainda assim eu não estou convencido disso — respondi. — Os casos que vem à tona nos jornais são quase que guiados por regras. Nós temos nos nossos relatórios policiais a realidade levada até o limite, e os resultados, devo confessar, não são nem fascinantes nem artísticos.

— É preciso haver uma certa seleção e discrição na produção de um efeito realista — observou Holmes. — Isso está faltando no relatório da polícia, onde mais estresse é colocado, talvez mais até do que os detalhes. O observador contém a essência vital de toda a matéria. Afinal, não há nada tão antinatural quanto o lugar-comum.

Eu sorri e balancei minha cabeça.

— E quase consigo entender seu pensamento — disse eu. — É claro, na sua posição de conselheiro e ajudador não oficial de todos aqueles que precisam montar o quebra-cabeça, você já entrou em contato com muitas coisas estranhas e bizarras. Mas veja: eu paro e pego o jornal da manhã do chão. Vamos fazer um teste prático. Aqui está o título de uma matéria: "A crueldade de um marido para com sua mulher". Tenha meia coluna para falar sobre isso. É claro que me soa familiar, devem ter muitas coisas envolvidas, a amante, a bebida, a grosseria. Mas é claro que o escritor deixou tudo mais cruel.

— De fato, seu exemplo não caiu bem para o seu argumento — disse Holmes pegando o jornal e observando-o. — Esse é o caso de separação de Dunda, e, assim que aconteceu, eu tentei olhar para deixar mais claras algumas coisas. Não havia outra mulher, e a conduta da qual ela se queixava era que, no fim de todas as refeições, ele tirava os dentes e jogava na sua mulher. Não é algo comum de ocorrer na cabeça de um contador de histórias. Dê um trago aqui, doutor e veja que eu marquei mais pontos com meu exemplo.

Ele estava segurando sua caixa de charutos feita de ouro com uma bela pedra de ametista no centro. Era um contraste tão grande com seu estilo de vida simples, que não pude deixar de reparar.

— Ah — disse ele –, eu esqueci que não nos vemos há algumas semanas. Esse foi um pequeno presente vindo do rei da Boêmia em troca da minha ajuda com o caso de Irene Adler.

— E o anel? — perguntei reparando em um belo brilhante que estava em seu dedo.

— Isso veio da família da Holanda, do caso sigiloso que ajudei a resolver, que não posso compartilhar nem com você.

— E você tem algum em mãos atualmente? — perguntei interessado.

— Uns dez ou vinte, mas nenhum deles me interessa. Eles são importantes, mas nem por isso são interessantes. De fato, eu descobri nos casos não importantes um campo para observação e para análises rápidas de causa e efeito que dão charme a qualquer investigação. Os piores crimes tendem a ser os mais simples; quanto maior o crime, mais óbvio fica; isso funciona como uma regra. Nos casos, salvo o que chegou de Marselha, não há nada que nos apresente episódios de interesse. Entretanto, é possível que eu receba algo melhor de um desses meus clientes em alguns minutos.

Ele se levantou da cadeira e ficou parado entre as persianas olhando para a rua maçante e neutra de Londres. Olhando por cima do ombro, eu vi na rua da frente uma pessoa. Lá estava uma mulher grande, com uma estola de pele em volta do pescoço e uma grande pluma vermelha ondulante em seu chapéu de aba larga com um broche que pertencia à duquesa de Devonshire. Ela olhou de forma hesitante para nossas janelas, enquanto seu corpo oscilava para trás e para frente, e começou a tirar suas luvas. De repente, como um mergulho de um nadador, ela atravessou a rua, e ouvimos o nítido som da campainha.

— Eu já vi esses sintomas antes — disse Holmes jogando seu charuto na lareira. — Essa movimentação na rua indica que é um caso do coração. Ela quer conselhos, mas talvez o caso seja delicado demais para ser compartilhado. Nós vamos descobrir logo. Quando uma mulher foi enganada por um homem, ela não oscila, e o sintoma usual é uma tocada de campainha certeira. Nesse caso, acho que temos alguém que não está tão brava, talvez esteja mais perplexa. Mas aí vem ela para tirar nossas dúvidas.

Assim que ele terminou de falar, ouvi batidas na porta, e o menino entrou para anunciar que Miss Mary Sutherland estava entrando. Sherlock Holmes a recebeu com cortesia e gentileza. Depois de fechar a porta, levou-a até a cadeira dando uma olhada geral nela e no seu estilo, algo que era muito peculiar a Holmes.

— A senhorita não acha que, sofrendo de miopia, força demais a vista escrevendo muito à maquina? — perguntou ele.

— No começo sim — respondeu ela —, mas agora eu já sei onde estão as letras no teclado e nem preciso olhar.

Então, ao perceber o sentido de suas palavras, ela se assustou e olhou com espanto e admiração para o rosto sorridente de Holmes.

— Você já ouviu falar sobre mim, Mr. Holmes? — perguntou ela. — Se não, como você poderia saber tudo isso?

— Deixe para lá — disse Holmes rindo. — É meu trabalho saber coisas. Talvez eu tenha sido treinado para observar os outros. Se não fosse assim, por que você viria até aqui?

— Eu vim até você porque Mrs. Etherege me falou sobre aquela cujo marido foi achado, quando todos já haviam declarado sua morte. Oh, Mr. Holmes, eu quero que você faça o mesmo por mim. Eu não sou rica, mas eu consigo juntar meus trocados com o pouco que faço na máquina de escrever, e eu lhe daria tudo para saber sobre Mr. Hosmer Angel.

— Por que você veio a mim com tamanha pressa? — perguntou Holmes juntando os dedos e fixando o olhar no teto.

Mais uma vez, um olhar assustado surgiu sobre o rosto um pouco vazio de Miss Mary Sutherland.

— Sim, saí rapidamente de casa — disse ela –, pois fiquei com raiva de ver a maneira fácil com que Mr. Windibank, meu pai, aceitou tudo. Ele não iria até a polícia e não viria até você. Como ele continuou dizendo que não houve danos, eu fiquei louca, vesti-me e vim imediatamente procurá-lo.

— Seu pai — disse Holmes — você quis dizer seu padrasto, já que o nome é diferente.

— Sim, meu padrasto. Eu o chamo de pai, o que pode parecer engraçado, já que ele é apenas cinco anos mais velho que eu.

— E sua mãe está viva?

— Ah, sim, minha mãe está viva e bem. Eu não estava exatamente satisfeita quando ela se casou pouco tempo após a morte do meu pai, ainda mais com um homem quinze anos mais novo que ela. Papai era um encanador em Tottenham Court Road e deixou um pequeno negócio para trás, que minha mãe cuidava com Mr. Hardy, o ajudante;

mas quando Mr. Windibank veio, ele a fez vender o negócio. Eles ganharam 4.700 libras, o que não era muito mais do que meu pai teria conseguido se estivesse vivo.

Eu esperava ver Holmes impaciente com essa descrição confusa e inconsequente, mas ele estava com seu máximo de concentração e atenção.

— E a sua renda — ele perguntou — vinha do pequeno negócio?

— Ah, não, senhor. É bastante separado e me foi deixada pelo meu tio Ned em Auckland. É um estoque da Nova Zelândia. Dá uma quantia de duas mil e quinhentas libras, mas eu não tenho acesso total.

— Você me interessa extremamente — disse Holmes. — Esse é meu amigo, Dr. Watson, diante do qual você pode falar livremente como está falando para mim. Agora, conte-nos, por favor, sobre a sua conexão com Mr. Hosmer Angel.

Nesse momento, Miss Sutherland pareceu ter ficado nervosa, ela começou a passar a mão na gola de sua jaqueta.

— Eu o conheci no jogo dos *gasfitters* — disse. — Eles costumavam enviar ingressos para meu pai quando ele estava vivo. Depois de tudo o que aconteceu, eles não se esqueceram de nós e continuaram enviando os ingressos para minha mãe. Mr. Windibank não queria que nós fôssemos. Ele não gostava que fôssemos a lugar algum. Ele ficaria bastante louco se eu me juntasse à escola dominical. Mas dessa vez eu estava pronta e eu iria; afinal, que direito ele tinha para evitar? Ele disse que não era adequado sabermos onde estavam todos os amigos do meu pai. E também que não tínhamos nada adequado para vestir, quando eu tinha o meu luxuoso vestido roxo que eu nunca tinha retirado da gaveta. Por fim, ele foi para a França resolver um negócio da empresa, e mamãe e eu fomos com Mr. Hardy, que costumava ser nosso capataz. E foi lá que conheci Mr. Hosmer Angel.

— Eu imagino — disse Holmes — que, quando Mr. Windibank voltou da França, ele ficou muito irritado por vocês terem ido.

— Bem, ele foi tranquilo quanto a isso. Ele riu, eu lembro, deu de ombros e disse que não poderia negar nada a uma mulher que ela dava seu jeito.

— Entendo. Então, no jogo dos *gasfitters*, pelo que entendi, você conheceu um cavalheiro chamado Mr. Hosmer Angel.

— Sim, senhor. Eu o conheci naquela noite e, no dia seguinte, ele perguntou se tínhamos chegado bem em casa. Depois que eu o conheci, encontrei-o algumas vezes durante caminhadas, mas, depois que meu padrasto voltou, Mr. Hosmer Angel não poderia mais vir a casa.

— Não?

— Bem, você já sabe que o meu padrasto não gosta de nada disso. Ele não teria nenhum visitante se pudesse, e ele costumava dizer que uma mulher deveria ser feliz no seu próprio círculo familiar. Mas eu dizia para minha mãe que uma mulher precisa que seu círculo familiar comece, e eu não tinha o meu ainda.

— E quanto ao Mr. Hosmer Angel? Ele não tentou vê-la nenhuma vez?

— Meu padrasto iria novamente para França na outra semana, então Hosmer me escreveu uma carta dizendo que seria mais seguro nós nos encontrarmos apenas quando ele fosse embora. Nesse meio tempo poderíamos trocar cartas, e ele escreveria todos os dias. Eu apanhava suas cartas pela manhã, então não tinha como meu padrasto saber.

— Você está noiva do cavalheiro neste momento?

— Oh, sim, Mr. Holmes. Nós ficamos noivos após a primeira caminhada que nós fizemos. Hosmer é caixa em um escritório em Leadenhall Street e...

— Que escritório?

— Isso é o pior, Mr. Holmes, eu não sei.

— Onde ele mora, então?

— Não sei ao certo.

— Então você não conhece seu endereço?

— Não, exceto que é a Rua Leadenhall.

— Foi para lá que você dirigiu suas cartas, então?

— Para os correios de Leadenhall, com o nome para quem deveria ser entregue. Ele disse que, se eu mandasse para o escritório, ele teria problemas por estar recebendo cartas de uma moça. Então eu ofereci enviar cartas datilografadas na máquina de escrever, mas ele disse que não, pois, quando eu escrevia à mão livre, parecia ser mais meu do que na máquina.

Isso para você ver como ele gostava de mim, Mr. Holmes, e como ele se importava com os detalhes.

— Isso foi sugestivo — disse Holmes. — Isso tem sido meu mote: que as pequenas coisas são infinitamente mais importantes. Você consegue se lembrar de mais alguma coisa sobre Mr. Hosmer Angel?

— Ele era um homem muito tímido, Mr. Holmes. Ele preferia andar comigo à noite do que de dia, porque ele dizia que odiava ser olhado. Muito cavalheiro e educado. Até mesmo sua voz era gentil. Ele estava sempre bem-vestido, simples e elegante, mas seus olhos eram fracos como os meus e ele usava óculos escuros todo o tempo.

— Bem, o que aconteceu quando seu padrasto, Mr. Windibank, voltou da França?

— Mr. Hosmer Angel veio até minha casa novamente e me pediu em casamento antes que ele voltasse. Ele foi terrivelmente sincero e me fez jurar, com as mãos sobre a Bíblia, que não importava o que acontecesse, eu sempre seria verdadeira com ele. Minha mãe me disse que ele fez bem de me fazer jurar, que isso era um sinal de paixão. Ela estava sempre a nosso favor, desde a primeira vez, e acho que ela era ainda mais afeiçoada a ele do que eu. Então, enquanto os dois estavam falando sobre o casamento, eu comecei a perguntar sobre o padrasto, mas os dois decidiram não se preocupar com ele; nós só contaríamos depois que já estivesse feito. E minha mãe acertaria as coisas com ele. Eu não gostei muito disso, Mr. Holmes. Parece engraçado, mas eu queria pedir sua permissão mesmo ele sendo apenas alguns anos mais velho que eu. Eu não queria deixar nada às escuras; então eu escrevi para ele em Bordeaux, onde ficavam os escritórios para os quais ele ia na França, mas a carta voltou na manhã exata do casamento.

— Não chegou até ele então?

— Não, ele havia partido para a Inglaterra pouco antes de chegar.

— Nossa, que infortúnio. Seu casamento já estava arranjado para sexta. Seria na igreja?

— Sim, senhor, mas muito discreto. Seria na St. Saviour's, e depois nós tomaríamos café da manhã no hotel Pancras. Hosmer chegou com um belo carro, mas como estávamos em duas, ele pegou um táxi enquanto nós éramos levadas pelo motorista. Nós chegamos à igreja primeiro, e, assim que o táxi estacionou atrás de nós, o motorista desceu perplexo: não havia nenhum sinal de Mr. Angels. Ele havia sumido. Isso aconteceu sexta-feira passada, Mr. Holmes, e eu nunca mais ouvi falar dele ou o avistei.

— Deve ter sido muito embaraçoso para você — disse Holmes.

— Ah, não, senhor! Ele era muito bom e gentil para me deixar assim. Naquela manhã, ele me disse que não importava o que acontecesse, eu tinha que ser verdadeira; e mesmo que algo ocorresse para nos separar, eu deveria manter a minha promessa. Parece uma conversa estranha para um casamento simples de manhã, mas essas coisas acontecem quando você realmente as valoriza.

— Com certeza acontece. Sua opinião então é que algo catastrófico ocorreu a ele?

— Sim, senhor. Eu acho que ele deveria estar sendo ameaçado, senão ele não teria falado comigo daquela forma. Penso que ele estava prevendo que isso aconteceria.

— Mas você não tem a menor noção do que possa ter acontecido?

— Nenhuma.

— Mais uma pergunta. Como sua mãe encarou o ocorrido?

— Ela ficou com raiva e disse que nunca mais tocaria no assunto de novo.

— E seu pai? Você contou a ele?

— Sim, e ele disse que também achava que algo estranho havia acontecido e que provavelmente eu veria Hosmer novamente. Como ele mesmo disse, que interesse alguém poderia ter em me levar até a porta da igreja e me deixar lá? Agora, se ele precisasse do meu dinheiro, ou das minhas posses, haveria alguma razão, mas Hosmer era independente em relação a isso e nunca pediu nada a mim. Ainda assim, o que poderia ter acontecido? E por que ele não me escreve? Isso tem me deixado louca, não consigo nem dormir à noite.

Ela puxou um lenço de sua bolsa e começou a soluçar sobre ele.

— Eu vou cuidar desse caso para você — disse Holmes levantando-se —, e não tenho dúvidas de que encontraremos um resultado definitivo. Deixe o pesar desse assunto comigo, e não deixe sua mente ser furtada. Acima de tudo, deixe Mr. Hosmer Angel vivo em sua memória, como ele havia sido na sua vida.

— Então você acha que eu não vou vê-lo novamente?

— Eu temo que não.

— Então o que pode ter acontecido a ele?

— Você vai deixar essa questão em minhas mãos. Eu vou querer uma descrição detalhada dele e todas as cartas que você puder encontrar.

— Eu fiz um anúncio procurando por ele no último sábado — disse ela. — Aqui está. E eu tenho quatro cartas dele.

— E o seu endereço?

— Lyon Place, 31, Camberwell.

— O endereço de Mr. Angel você não tem, eu entendo. Onde fica o negócio de seu padrasto?

— Ele viaja para Westhouse e Marbank, os grandes importadores da rua Fenchurch.

— Obrigado. Você deixou seu depoimento de forma muito clara. Deixe os papéis aqui e lembre-se do conselho que lhe dei. Deixe todo esse incidente fechado em um livro e não permita que afete sua vida.

— Você é muito gentil, Mr. Holmes, mas eu não posso fazer isso. Eu tenho que ser verdadeira com Hosmer. Ele tem que me encontrar pronta quando voltar.

O rosto vazio e a nobre fé de nossa visitante exigiam de nós respeito. Ela deixou os papéis sobre a mesa e se foi deixando claro que poderia voltar sempre que a convocássemos. Sherlock Holmes ficou em silêncio por alguns minutos pressionando seus dedos um contra o outro, suas pernas estavam esticadas à sua frente e seu olhar estava fixo na direção do teto. Então, ele pegou do móvel um velho charuto, que era para ele quase que um conselheiro, acendeu, sentou-se na sua cadeira e começou a pensar profundamente.

— Muito interessante esse caso — observou ele. — Eu a acho mais interessante do que seu pequeno problema, que, no caso, é até banal. Você pode encontrar casos parecidos, como o que ocorreu em Andover em 77, e também o que aconteceu com os Hagues no ano passado. Contexto antigo, mas com alguns detalhes novos para mim. Mas a mulher em si foi o mais interessante.

— Parece que você encontrou um bom negócio nela que, para mim, é praticamente invisível — disse eu.

— Não é invisível, mas também não é claro, Watson. Você não sabe onde deve olhar, por isso perdeu o que era importante. Eu nunca posso deixá-lo se esquecer da importância dos detalhes, das entrelinhas ou dos grandes problemas que podem estar escondidos atrás de um laço de fita. Agora, o que você pode perceber pela aparência daquela mulher? Descreva.

— Bem, ela estava com um chapéu de ardósia e aba larga, com uma pena vermelha emaranhada. Seu casaco era preto, com contas pretas costuradas sobre ele e uma franja de pequenos ornamentos de jatos negros. O vestido era marrom, um pouco mais escuro do que a cor do café, com uma borda roxa luxuosa no pescoço e nas mangas. Suas luas eram acinzentadas e estavam gastas no dedo indicador. Suas botas eu não observei. Ela tinha pequenos brincos de ouro pendurados e um ar geral de ser bastante tranquila, confortável e de maneira fácil de lidar.

Sherlock Holmes bateu palmas levemente.

— Você tem a minha palavra, Watson, está indo maravilhosamente bem. Mas, na verdade, você perdeu tudo de importância. Você atingiu o método e tem um olho rápido para as cores. Nunca confie nas impressões em geral, meu filho, mas concentre-se nos detalhes. Minhas impressões: o primeiro olhar está sempre na manga de uma mulher. Em um homem, talvez seja melhor olhar primeiro o joelho da calça. Como você observou, essa mulher tinha algo luxuoso nas mangas, o que é um material útil para mostrar vestígios. A linha dupla um pouco acima do pulso, que as datilógrafas pressionam contra a mesa, ficou lindamente definida. A máquina de costura, do tipo de mão, deixa uma marca similar, mas apenas no braço esquerdo e no lado do polegar, em vez de estar bem na parte mais ampla, como era. Eu então olhei seu rosto e observei, de cada lado do nariz, as marcas de pequenos óculos utilizados por quem tem a visão curta, e isso pareceu surpreendê-la.

— Isso me surpreendeu — disse eu.

— Mas era óbvio. Fiquei ainda mais surpreso quando

abaixei minha visão e observei suas botas: eram singulares como nenhuma já vista antes. Uma era decorada e a outra lisa. Uma estava com apenas dois dos cinco botões abotoados e a outra estava com o primeiro, o terceiro e o quinto botão fechados. Agora, quando você olha para aquela jovem mulher, ordenadamente vestida, mas com botas diferentes e mal abotoadas, você pode deduzir que ela se arrumou com pressa.

— E o que mais? — perguntei, interessado como sempre pela capacidade incrível de meu amigo.

— Também observei, que ela tinha escrito algo em casa antes de sair. Você observou suas luvas, mas claramente não percebeu que uma delas estava manchada com uma tinta de tom violeta. Ela escreveu algo com pressa. Deve ter sido hoje pela manhã ou a marca não estaria tão evidente. Tudo isso é elementar, meu caro Watson. Vamos voltar ao problema. Você se importaria de ler para mim a descrição sobre Mr. Hosmer?

Eu segurei o papel contra a luz.

Desaparecido na manhã do dia quatorze um cavalheiro chamado Hosmer Angel. Cerca de dois metros de altura; corpo forte, cabelo preto, um pouco calvo no centro, bigode grosso e preto também; usava óculos escuros e tinha uma leve enfermidade de fala. Quando visto pela última vez, estava vestido com uma blusa preta de seda, colete preto, calças de tweed cinza e polainas castanhas sobre botas com elástico na lateral. Conhecido por ter sido empregado em um escritório em Leadenhall Street.

— É disso que eu falo — disse Holmes. — Assim como as cartas aqui que estão todas em um lugar-comum.

Absolutamente sem nenhuma pista que nos leve a Mr. Angel. Tem apenas um detalhe em todas elas, que, sem dúvida, você percebeu.

— Elas foram escritas à máquina — disse eu.

— Não só isso, a assinatura de todas também foi digitada. Veja aqui ao lado do nome Hosmer Angel. Tem a data, a inscrição do postal da Rua Leadenhall, o que é um pouco vago. E um ponto sobre a assinatura, que me parece altamente sugestivo, na verdade, conclusivo.

— Do quê?

— Meu querido amigo, como você não percebe a estranheza desse caso?

— Que se ele não assinou, ele pode quebrar as promessas feitas?

— Não, esse não é o ponto. Entretanto, eu devo escrever duas cartas agora, uma para o escritório na cidade e a outra para o padrasto da jovem, Mr. Windibank, perguntando se ele poderia nos encontrar aqui amanhã às seis da tarde. É tão bom que possamos conversar com alguém do sexo masculino. E agora, doutor, nós não temos nada a fazer a não ser colocar essas cartas na prateleira.

Eu tinha tantas razões para acreditar nos poderes sutis de raciocínio e energia extraordinária de meu amigo, que senti que ele devia ter alguns fundamentos sólidos para ter tanta certeza e facilidade ao tratar do singular mistério que ele tinha sido chamado para entender. Apenas uma única vez eu o vira falhar, e foi no caso do rei da Boêmia e da fotografia de Irene Adler. Lembrei-me também do estranho negócio envolvendo o Signo dos Quatro e as circunstâncias extraordinárias relacionadas ao estudo em vermelho. De fato, não havia um emaranhado estranho que ele não conseguisse desvendar.

Quando o deixei, ele ainda estava fumando o seu charuto. Eu estava convicto de que, ao retornar na manhã seguinte, ele teria as pistas que nos levariam a resolver o caso do desaparecimento do noivo de Miss Mary Sutherland.

Um caso profissional de grande gravidade estava tomando minha atenção, e, no dia seguinte, eu teria que ficar o tempo todo ao lado do doente acamado. Eu tentaria me livrar até as seis da tarde para poder voltar à Baker Street e acompanhar as próximas cenas desse mistério.

No fim do dia seguinte, eu fui até a Baker Street e encontrei Sherlock Holmes sozinho, meio adormecido, com o seu longo e magro corpo enrolado em sua poltrona. Um formidável armazenamento de garrafas e tubos de ensaio, com o pungente cheiro limpo de ácido clorídrico, indicava que ele passara o dia no trabalho químico que tanto adora.

— Bem, você já resolveu então? — perguntei.

— Sim. Era o sulfato de barita.

— Não! O mistério! — gritei.

— Ah, isso! Eu pensei que estivesse falando do meu trabalho de agora. Não existe nenhum mistério. Como eu disse ontem, alguns detalhes apenas são interessantes. A única desvantagem é que talvez não exista lei que possa pegar o canalha.

— Quem era ele então? E qual seu objetivo em abandonar Miss Sutherland?

As palavras saíram rápido de minha boca, e mal Holmes começou a responder, ouvimos o som de passos se aproximando da porta.

— Esse é Mr. James Windibank, o padrasto da moça — disse Holmes. — Ele me respondeu dizendo que estaria aqui por volta das seis. Entre!

O homem que entrou era um colega robusto e de tamanho médio, tinha uns trinta anos de idade, barbeado, com um ar sem graça, de forma insinuante, e um par de olhos cinzentos penetrantes. Ele lançou um olhar interrogativo para cada um de nós, colocou o chapéu brilhante sobre o aparador, e com um ar de questionamento se escorou na cadeira mais próxima.

— Boa noite, Mr. James Windibank — disse Holmes. — Eu acho que a carta que tenho em mãos foi escrita por você, e nela está escrito que você chegaria às seis.

— Sim, senhor, desculpe-me por estar atrasado, mas você sabe que não vim em virtude de uma questão pessoal. Sinto muito que Miss Sutherland o tenha incomodado com seu problema, acho que não se deve "lavar roupa suja" em público. Foi bastante contra meus desejos que ela viesse, mas ela é muito agitada, menina impulsiva, como você pode ter notado, e ela não é facilmente controlável quando toma uma decisão. Claro que isso não é importante para você, mas para nossa imagem é péssimo ter esse infortúnio na família. Além disso, é inútil essa despesa; afinal, como você poderia encontrar esse Hosmer Angel?

— Pelo contrário — disse Holmes bem calmo –, eu tenho todas as razões para crer que encontrarei Mr. Hosmer Angel.

Mr. Windibank deixou cair as luvas.

— Tenho prazer em ouvir isso — disse ele.

— É uma coisa curiosa — disse Holmes — que uma máquina de escrever tenha realmente tanta individualidade como a caligrafia de um homem. A menos que exista algo novo, nenhuma delas é exatamente parecida. Em algumas, as letras ficam mais desgastadas do que em outras, e algumas usam apenas um lado. Agora, você observe nesta nota sua, Mr. Windibank, que, em todos os casos, há uma pequena mancha sobre o "e" e um pequeno defeito na cauda do "r". Há catorze outras características, mas essas são as mais óbvias.

— Nós fazemos todas as nossas cartas com a máquina do escritório, e, sem dúvida, ela está um pouco desgastada — disse nosso visitante fixando seus olhos na direção de Holmes.

— E agora eu vou lhe mostrar algo que é ainda mais interessante neste caso, Mr. Windibank — continuou Holmes. — Eu estou pensando em escrever uma monografia de como as máquinas de escrever estão envolvidas em crimes. Veja, eu tenho aqui as outras quatro cartas que dizem ser de um homem desaparecido, mas elas também estão com pequenas manchas sobre o "e", pequenos defeitos na cauda do "r" e, olhe, as outras quatorze características também estão aqui.

Mr. Windibank se levantou e pegou seu chapéu.

— Eu não posso desperdiçar o meu tempo ouvindo algo tão ridículo, Mr. Holmes — disse ele. — Se você pegar o homem, pegue e me deixe saber que você o fez.

— Certamente — disse Holmes levantando-se e abrindo a porta. — Fique sabendo que, no caso, eu já peguei!

— O quê? Onde? — gritou Mr. Windibanck, com sua face espantada e seus lábios brancos.

— Oh, não! Isso não vai funcionar comigo, Mr. Windibank. Você foi muito ingênuo e um pouco grosseiro quando disse que seria impossível para mim resolver essa simples questão. Sente-se e deixe-me continuar.

Nosso visitante sentou-se de forma espantada na cadeira, totalmente devastado.

— Não... não é possível — disse ele.

— Eu receio que seja, Mr. Windibank. Você foi tão cruel e egoísta com esse golpe! Agora, deixe-me continuar com os fatos e você irá me contradizer se eu estiver errado.

O homem estava aconchegado em sua cadeira, com a cabeça afundada sobre o peito, como aquele que está completamente esmagado. Holmes enfiou os pés no canto da lareira e, inclinando-se para trás com as mãos em seus bolsos, começou a falar, como que para si mesmo, por assim dizer, só que para nós.

— O homem se casa com uma mulher muito mais velha que ele por dinheiro — disse — e aproveita para usar esse dinheiro enquanto vive nessa família. A filha da família também tem sua parte da herança, mas ela só poderá usá-la mais velha ou quando se casar. Seria um valor a mais considerável, e a perda dele teria feito uma diferença séria. Valeria um esforço para preservá-lo. A filha era de boa disposição, mas afetuosa e calorosa em suas atitudes, de modo que ficou evidente que, com suas vantagens pessoais justas e sua pouca renda, ela não permaneceria sozinha por muito tempo. Agora, seu casamento significaria, claro, a perda do outro montante de dinheiro. Então, o que o seu padrasto faz para evitar isso? Ele toma a atitude óbvia de mantê-la em casa, proibindo-a de buscar a companhia de pessoas de sua idade. Mas logo ele descobre que isso não funcionaria para sempre. Ela reage, insiste em seus direitos e finalmente anuncia sua intenção positiva de ir a certo jogo conhecer pessoas. O que seu padrasto inteligente faz então? Ele concebe uma ideia mais credível em sua cabeça do que para seu coração. Com a conivência e assistência de sua esposa, ele se disfarça, cobre esses olhos afiados com óculos escuros, mascara o seu rosto com um par de bigodes grosseiros e transforma aquela voz clara em um sussurro insinuante. Está duplamente seguro por causa da visão curta da menina. É aí que ele aparece como Mr. Hosmer Angel e evita outros amantes tornando-se ele próprio o amante.

— Era só uma brincadeira no começo, nós não imaginamos que ela se deixaria levar — disse nosso visitante.

— Muito pelo contrário. Por mais louco que pareça, a jovem senhora foi muito levada, e, tendo achado que seu padrasto estava na França, a suspeita de traição nunca entrou, por um instante, em sua mente. Ela ficou lisonjeada com a atenção do cavalheiro, e o efeito foi aumentando pela admiração expressa em voz alta de sua mãe. Então, Mr. Angel começou a chamá-la para sair à noite, pois era óbvio que o assunto deveria ser empurrado até que um efeito real fosse produzido. Mas o engano não poderia ser mantido para sempre. Essas simuladas jornadas para a França eram bastante incômodas. Era preciso levar o negócio até o fim de uma forma tão dramática, que deixasse uma impressão permanente na mente da jovem e a impedisse de considerar qualquer outro pretendente por algum tempo. Por isso os votos de fidelidade exigidos em um Testamento, e daí também as alusões a uma possibilidade de algo acontecer na manhã do casamento. James Windibank queria que Miss Sutherland estivesse tão ligada a Hosmer Angel, e tão incerta quanto ao seu destino, que, pelos dez anos seguintes, de qualquer forma, ela não ouviria outro homem. No que diz respeito à porta da igreja, ele a trouxe e, como não poderia ir mais longe, desapareceu convenientemente pelo velho truque de entrar por uma porta de um veículo de quatro rodas e sair pela outra. Eu acho que essa foi a cadeia de eventos, Mr. Windibank!

Nosso visitante recobrou um pouco de sua segurança e levantou-se da cadeira com a face ainda pálida.

— A lei, como você bem sabe, não pode atingi-lo — disse Holmes abrindo novamente a porta —, entretanto não houve um outro homem que merecesse maior castigo do que você. Se essa jovem tivesse um amigo ou um irmão, certamente pegariam um chicote e bateriam sobre seus ombros — continuou ele deixando à vista no seu rosto o amargo desprezo pelo homem. — Isso não faz parte dos meus deveres com o meu cliente, mas aqui está um chicote, e acho que devo tratar eu mesmo...

Ele deu dois passos rápidos para o chicote, mas, antes que ele pudesse perceber, a grande porta do corredor bateu, e da janela vimos Mr. James Windibank correndo o mais rápido que podia pela rua.

— É um canalha sangue-frio! — gritou Holmes. — Esse homem vai passar de crime em crime, até ela fazer algo tão ruim que acabe com ele. Esses casos costumam, em alguns aspectos, não serem solucionados de acordo com o interesse do cliente.

— Agora pude perceber a lógica nas suas ações — disse eu.

— Bem, claro que era óbvio desde o primeiro momento que esse Mr. Hosmer Angel tinha uma conduta curiosa, e era igualmente claro que o único homem que realmente aproveitou o incidente, tanto quanto pudemos ver, foi o padrasto. Então, o fato de que os dois homens nunca estiveram juntos, mas sempre um aparecia quando o outro estava fora, foi sugestivo. Assim como os óculos escuros e a voz curiosa, que ambos insinuavam em um disfarce, assim como os bigodes espinhosos. Minhas suspeitas foram todas confirmadas por sua ação peculiar em escrever sua assinatura, o que, obviamente, concluía que sua caligrafia era tão familiar para ela que ela reconheceria mesmo a menor amostra dela. Você observa todos esses fatos isolados, mas, juntos, todos apontam na mesma direção.

— E como você juntou os fatos?

— Tendo descoberto o homem, seria fácil obter a confirmação. Eu conhecia a empresa para a qual ele trabalhava. Depois de estudar a descrição dele no anúncio, eliminei tudo daquilo que poderia ser o resultado de um disfarce: os bigodes, os óculos, a voz, e enviei para a empresa com um pedido de que eles me informassem se aquela descrição correspondia à de qualquer um de seus funcionários. Eu já tinha notado as peculiaridades da máquina de escrever, e eu escrevi para o próprio homem em seu endereço perguntando se ele viria aqui. Como eu esperava, sua resposta foi datilografada e revelou o trivial: os mesmos defeitos característicos das cartas. O mesmo malote trouxe-me uma carta de Westhouse & Marbank, da Fenchurch Street, para dizer que a descrição batia em todos os aspectos com a de seu empregado James Windibank. *Voilà tout!*

— E quanto à Miss Sutherland?

— Se eu contar, ela não vai acreditar. Você deve se lembrar do ditado persa que diz: "Existe perigo para aquele que rouba o filhote do tigre e também para aquele que tira a ilusão de uma mulher". Há tanto sentido em Hafiz quanto em Horácio, e tanto quanto o conhecimento do mundo.

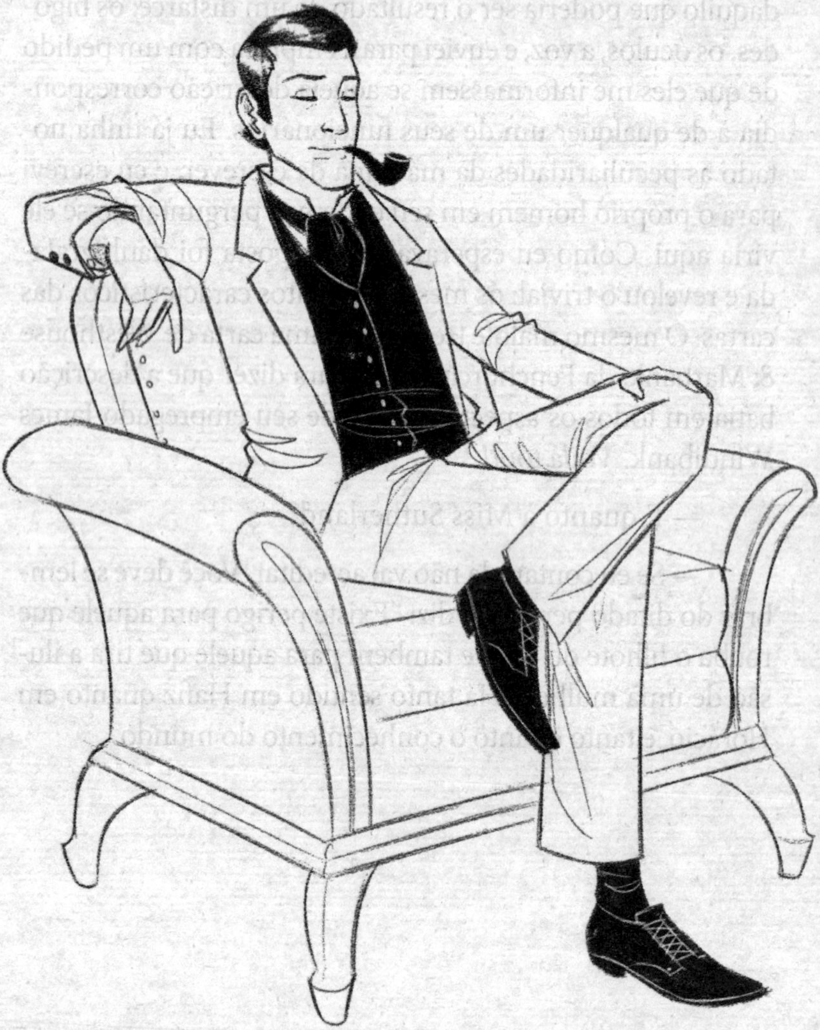

Sir Arthur Conan Doyle

O mistério do Vale Boscombe

Estávamos eu e minha mulher sentados, tomando café da manhã, quando nossa empregada chegou com um telegrama. Vinha da parte de Sherlock Holmes e dizia o seguinte:

Você teria alguns dias para compartilhar? Acabei de ser solicitado para partir até o oeste da Inglaterra para verificar a tragédia do Vale Boscombe. Seria ótimo ter você comigo. Cenário perfeito. Saia de Paddington às 11h15.

— O que você disse, querido? — perguntou minha mulher olhando para mim. — Você vai?

— Eu não sei. Tenho muitas coisas neste momento.

— Ah! Anstruther pode fazer o trabalho para você. Você tem andado um pouco apático ultimamente. Eu acho que a mudança lhe fará bem, você adora trabalhar nos casos com Mr. Sherlock Holmes.

— Eu seria ingrato se não adorasse, ganho muito olhando aquele homem trabalhar — respondi. — Mas, se eu for mesmo, preciso arrumar minhas malas agora, só tenho meia hora.

Minha experiência de acampar no Afeganistão me fez ser um ótimo viajante de última hora. Minhas escolhas eram sempre simples, então, em pouco tempo, eu já estava partindo para Paddington Station. Sherlock Holmes estava no fim da plataforma, e eu pude avistá-lo carregando seu longo e cinza relógio de viagem com capa de tecido.

— Estou muito feliz por você ter vindo, Watson — disse Holmes. — Faz uma diferença considerável para mim ter alguém com quem eu possa contar. A ajuda aqui é sempre meio inútil. Vá pegando os dois assentos de canto enquanto eu pego os bilhetes.

Nós tínhamos o vagão só para nós e para a imensa quantidade de papéis que Holmes havia trazido consigo. Ele começou a procurar no meio da imensa papelada quando, de repente, parou e disse:

— Você ouviu algo sobre esse caso?

— Nem uma palavra, mas eu não li jornal nos últimos dias — respondi.

— O *London Press* não tem muitas informações. Eu analisei os jornais mais recentes. Esse parece ser um daqueles casos simples, mas muito difíceis.

— Isso soa um tanto quanto paradoxal.

— Mas é a mais profunda verdade. Quanto mais simples e lugar-comum o crime for, mais difícil é descobrir as pistas. Nesse caso, entretanto, eles estabeleceram um precedente muito sério contra o filho do homem assassinado.

— É um assassinato então?

— Bem, as conjunturas apontam que sim, mas eu não vou tirar conclusões precipitadas até verificar pessoalmente. Eu vou explicar o estado das coisas para você assim que eu tiver entendido algo. O Vale Boscombe é um lugar não muito distante de Ross, em Herefordshire. A maior propriedade pertence a Mr. John Turner, que levantou seu dinheiro na Austrália e retornou há alguns anos para o local. Uma das fazendas que ele mantinha, a de Hatherley, foi deixada para Mr. Charles McCarthy, que também era um australiano. Eles se conheceram nas colônias, logo era normal que eles fossem próximos aqui. Turner era aparentemente o homem mais rico, então McCarthy se tornou seu funcionário; pelo que parecia, entretanto, havia uma relação de igualdade estabelecida entre eles. McCarthy tinha um filho, na faixa dos dezoito, e Turner tinha apenas uma filha, da mesma idade, mas nenhum deles morava lá. Eles pareciam evitar o relacionamento com as famílias inglesas, embora McCarthy gostasse muito de esportes e comparecesse frequentemente às corridas da região. McCarthy mantinha dois servos, um homem e uma garota. Turner tinha um número considerável de propriedades, pelo menos seis. Isso é tudo que eu consegui juntar sobre as famílias. Agora, vamos aos fatos. No dia 3 de junho, na última segunda-feira, McCarthy deixou a sua casa no Hatherley por volta das três da tarde e seguiu seu caminho até a Piscina Boscombe, que é uma pequena lagoa no fim do Vale Boscombe. Ele tinha saído com seu servo pela manhã para ir até Ross, e disse ao homem que estava com pressa, pois tinha um compromisso importante às três. Depois de partir para esse compromisso, ele não voltou mais. Da casa de fazenda de Hatherley até a Piscina Boscombe, existe uma distância de meio quilômetro, e duas pessoas o viram passando por lá. Uma foi uma velha mulher, cujo nome não foi mencionado, e o outro foi William Crowder, um funcionário de Mr. Turner. As duas testemunhas disseram que Mr. McCarthy passou sozinho. William ainda acrescentou que, depois de ter visto Mr. McCarthy, viu o filho dele passando, Mr. James, carregando uma arma. Pelo que ele podia entender, McCarthy estava se escondendo e seu filho o seguiu. Ele não pensou mais nada até ficar sabendo da tragédia que ocorreu. A piscina de Boscombe é cercada por árvores, com apenas um pouco de grama em volta. Uma garota de quatorze anos, Patience Moran, que é filha do responsável pelo Vale Boscombe, estava na floresta mais próxima pegando flores. No momento em que ela avistou McCarthy e seu filho, ela os observou e percebeu que eles pareciam estar em uma briga violenta. Ela ouviu Mr. McCarthy, o pai, usando uma linguagem muito forte com seu filho, que levantou a mão como se fosse atacar o pai. Ela estava tão assustada com a cena de violência que fugiu e contou a sua mãe sobre a discussão e disse que temia que eles fossem partir para luta. Ela quase não havia concluído as palavras quando o jovem Mr. McCarthy veio correndo até a casa do porteiro para dizer que ele tinha encontrado seu pai morto na floresta e pedir a ajuda do responsável pelo Vale. Ele estava muito agitado, sem arma ou chapéu, mas sua mão direita estava cheia de sangue. Ao seguirem-no, encontraram o corpo morto na grama ao lado da pequena lagoa. A cabeça estava como se houvesse sido agredida por várias vezes com algo pesado. As lesões apontavam que seu próprio filho poderia ter feito aquilo com uma madeira grossa, que foi encontrada deitada na grama a poucos passos do corpo. Nessas circunstâncias, o jovem estava instantaneamente preso, e um veredicto de "homicídio intencional" foi dado pelas autoridades locais no inquérito que saiu na terça-feira. Na quarta-feira, o inquérito foi levado para os magistrados de Ross, que encaminharam o caso para o próximo passo. Esses são os principais fatos do caso da parte de análise de pistas e do tribunal da polícia.

— Eu não poderia imaginar um caso mais condenável — disse. — E todas as evidências apontam que um criminoso passou por aqui.

— As evidências circunstanciais podem ser enganosas — lembrou Holmes sabiamente. — Quando parecem apontar claramente para algo, você precisa mudar um pouco o ponto de vista, que talvez encontre algo totalmente diferente. Mas eu tenho que confessar que esse caso traz pistas muito graves contra o jovem, e é bem provável que, de fato, ele seja culpado. Entretanto, existem muitas pessoas na vizinhança que acreditam em sua inocência, entre elas, Miss Turner, a filha do dono da terra vizinha, que chamou Lestrade, de quem você deve se lembrar, quando da conexão com o Estudo em Vermelho. Lestrade, que é meio confuso, passou o caso para mim, e aqui estamos partindo para o oeste.

— Estou com medo — disse eu — que os fatos sejam tão óbvios que você ganhe pouco crédito com esse caso.

— Não há nada mais enganoso do que um fato óbvio — retrucou rindo. — Além disso, podemos acaso nos deparar com alguns outros fatos óbvios que podem não ter sido óbvios para Mr. Lestrade. Você me conhece muito bem para pensar que estou me vangloriando quando digo que devo confirmar ou destruir sua teoria, principalmente pelo fato de ele ser bastante confuso. Para dar o primeiro exemplo à mão, eu claramente percebo que, em seu quarto, a janela está ao lado da sua mão direita, e ainda pergunto se Mr. Lestrade teria notado algo tão evidente como esse.

— Como...

— Meu caro companheiro, eu o conheço bem. Eu conheço as características militares presentes em você. Você se barbeia todas as manhãs e, nesta estação, você se barbeia ao nascer do sol, porque o seu barbear vai ficando menos preciso quando chegamos ao seu lado esquerdo, ficando um pouco mais iluminado próximo a mandíbula. É bem claro que um lado foi mais iluminado que o outro. E eu não poderia imaginar que um homem com os seus hábitos, ao se barbear em uma luz ideal, ficaria satisfeito com esses resultados. Eu apenas cito esse exemplo para deixar clara a minha capacidade de observação, o que me leva a crer que algum detalhe possa ter ficado de fora desse inquérito. Existem um ou dois pontos que eu considero importantes de serem analisados.

— Quais são eles?

— Parece que a prisão do jovem não ocorreu imediatamente. Quando o inspetor Constabulary, por fim, anunciou que ele estava preso, o jovem não demonstrou estar surpreso. Essa observação teve o efeito natural de remover quaisquer vestígios de dúvida que poderiam ter permanecido nas mentes do júri forense.

— Foi uma confissão — disse eu.

— Não, pois foi seguido por um protesto de inocência.

— Foi a informação mais suspeita, considerando a série de eventos prejudiciais.

— Pelo contrário — disse Holmes —, é a fenda de luz que posso ver entre as nuvens no momento. Mesmo que ele seja inocente, ele não pode ser visto como um completo imbecil, pois saberia que as circunstâncias não eram positivas em relação a ele. Se ele tivesse se mostrado surpreendido com sua própria prisão, ou indignado, eu deveria ter considerado isso altamente suspeito, porque tal surpresa ou raiva não seriam naturais nas circunstâncias e ainda podem parecer ser a melhor política para um homem intrigante. A franca aceitação da situação o marca como um homem inocente ou, então, como um homem de considerável autocontrole e firmeza. Se você considerar que ele estava ao lado do cadáver de seu pai, e que não há dúvida de que ele teve essa discussão com ele, de acordo com a menina, cuja evidência é tão importante, ele levantou a mão como para golpeá-lo. A autorreprovação que é exibida em sua declaração parece um sinal de uma mente saudável e não de um culpado.

Eu balancei minha cabeça.

— Muitos homens foram enforcados ou presos com muito menos evidências — disse eu.

— Foram. E muitos deles estavam sendo enforcados sem motivos.

— Qual a versão desse jovem para toda essa situação?

— É disso que eu estou com medo; para aqueles que o defendem, isso não é muito encorajador. Veja aqui, você pode ler por si só.

Ele pegou uma cópia do jornal local de Herefordshire e apontou para o parágrafo em que o infeliz jovem deu sua própria declaração do que havia ocorrido. Eu me sentei e li atentamente. Dizia assim:

<u>Mr. James McCarthy, o único filho do falecido:</u> Eu fiquei fora de casa por três dias, estava em Bristol, retornei na manhã do dia três de junho. Meu pai estava fora de casa na hora em que cheguei e eu fui informado pela empregada que ele havia partido para Ross juntamente com John Cobb, o mordomo. Pouco tempo depois, eu escutei o som das rodas de sua carruagem e, olhando pela janela, vi-o descer rápido e partir, sem saber ao certo a direção para a qual ele estava indo. Eu, então, peguei minha arma e segui na direção da Piscina de Boscombe com a intenção de caçar um coelho.

No caminho eu vi William Crowder, bem como ele disse em sua declaração, mas ele se enganou ao dizer que eu estava seguindo meu pai. Eu não tinha ideia de que ele estava a minha frente. Quando eu me encontrava a aproximadamente cem metros da piscina, eu escutei um grito: "Cooooe" que era um sinal usado por mim e meu pai. Eu me apressei e encontrei-o parado em frente ao lago. Ele pareceu estar surpreso com minha presença e perguntou o que eu estava fazendo ali. A conversa começou a tomar um rumo ruim, nervoso, pois meu pai era um homem de temperamento forte.

Vendo que ele estava totalmente fora de si, eu o deixei e retornei para a Fazenda Hatherley. Eu não havia andado mais de cem metros quando ouvi um som estranho que me fez voltar. Eu achei meu pai no chão, terrivelmente machucado. Eu larguei minha arma, segurei-o em meus braços, mas ele já estava morto. Eu ajoelhei ao seu lado por alguns minutos e imediatamente fiz meu caminho para casa de Mr. Turner para pedir ajuda. Ele não era um homem muito gentil e popular, mas até onde eu sabia, ele não tinha inimigos.

<u>Entrevistador:</u> Seu pai fez alguma declaração antes de morrer?

<u>Testemunha:</u> Ele murmurou algumas palavras, mas eu só consegui entender algumas alusões a um rato.

<u>Entrevistador:</u> E o que você captou disso?

<u>Testemunha:</u> Não fez sentido. Achei que ele estivesse delirando.

<u>Entrevistador:</u> Sobre o que você e seu pai estavam discutindo?

<u>Testemunha:</u> Eu prefiro não responder.

<u>Entrevistador:</u> Eu acho que vou precisar pressioná-lo quanto a isso.

<u>Testemunha:</u> É realmente impossível eu lhe contar sobre isso. Eu posso lhe garantir que não se relaciona em nada com a tragédia ocorrida.

<u>Entrevistador:</u> Isso cabe à corte decidir. Eu preciso saber disso, do contrário seu caso será prejudicado de forma considerável.

<u>Testemunha:</u> Ainda assim, eu me recuso.

<u>Entrevistador:</u> Pelo que entendi, o grito "Coeee" era um sinal comum entre você e seu pai?

Testemunha: Sim!

Entrevistador: Por que então ele haveria de usar o sinal se ele não sabia que você tinha chegado de Bristol?

Testemunha (aparentemente confuso): Eu não sei.

Entrevistador: Você não viu nada que despertou suas suspeitas quando você voltou a ouvir o choro e encontrou seu pai mortalmente ferido?

Testemunha: Nada definitivo.

Entrevistador: O que você quer dizer com isso?

Testemunha: Eu estava tão perturbado, que não consegui pensar em nada além de meu próprio pai. Ainda assim, tive a vaga impressão de que, conforme eu corria, algo fugia de mim. Parecia ser algo cinza no meio da mata, um casaco ou algo do tipo. Quando cheguei perto do meu pai, eu olhei em volta, mas ele já tinha partido.

Entrevistador: Você quer dizer que isso desapareceu antes de procurar ajuda?

Testemunha: Sim, foi embora.

Entrevistador: Você não sabe dizer o que era?

Testemunha: Não, tive a sensação de que havia algo ali.

Entrevistador: Quão longe do corpo?

Testemunha: Uns doze metros ou mais.

Entrevistador: E quão longe da mata?

Testemunha: Aproximadamente a mesma distância.

Entrevistador: Então, se ele foi removido, foi enquanto você estava a cerca de doze metros de lá.

Testemunha: Sim, mas de costas voltadas para isso.

Entrevistador: Isso conclui o interrogatório com a testemunha.

— Veja — disse eu olhando mais para baixo da coluna onde estava o interrogatório —, o interrogador foi severo com o jovem McCarthy. Ele chama a sua atenção por deixar claro algumas discrepâncias na história, e também pelo fato de ter omitido coisas e oferecido informações estranhas como as últimas palavras de seu pai. Tudo soa muito contra o menino.

Holmes riu discretamente e se alongou no pequeno sofá.

— Tanto você quanto o legista não estão se atentando para os fatos, estão deixando a imaginação ir longe pela simples razão de o menino ter dito coisas estranhas, como a fala sobre o rato. Eu me atentarei aos fatos. É por isso que, ao chegarmos, seguiremos para Petrarch e nenhuma palavra será dita até que eu esteja na cena de ação. Nós pararemos para almoçar em Swindon e seguiremos.

Estava perto das quatro da tarde e já havíamos passado pelo lindo Vale Stroud quando, finalmente, chegamos ao pequeno povoado de Ross. Um homem magro, com ar furtivo e malicioso, estava esperando por nós na plataforma. Apesar do revestimento de pó marrom-claro e calças de couro que ele usava destoante com o estilo rústico do entorno, não tive dificuldade em reconhecer Lestrade, da Scotland Yard. Com ele nos dirigimos para o Hereford Arms, onde um quarto já havia sido reservado para nós.

— Eu já pedi um carro — disse Lestrade enquanto nos sentávamos para tomar uma xícara de chá. — Eu conheço a sua natureza enérgica, que não descansará enquanto não chegarmos à cena do crime.

— Foi muito gentil da sua parte — respondeu Holmes. — Trata-se de uma questão de pressão arterial.

Lestrade parecia assustado.

— Eu não entendi muito bem — disse ele.

— Bem, eu tenho uma caixa de cigarros para ser fumada. Talvez eu não use o carro hoje à noite.

Lestrade riu de forma debochada.

— Você, com toda certeza, já tem suas conclusões sobre o caso — disse ele. — Trata-se de algo óbvio, e, quanto mais procuro, mais evidente fica. É claro, existe uma moça que gostaria de saber a sua opinião. Eu disse a ela repetidamente que você não descobriria nada além do que eu já descobri. Ai, meu Deus, falando nela, seu carro está aqui na porta.

Ele mal terminou de falar quando veio em nossa direção uma das mulheres mais encantadoras que eu já vi em minha vida. Seus olhos eram avermelhados, seus lábios carnudos, uma leve vermelhidão sobre seus peitos, tudo isso envolto em seu ar preocupado e com expectativas para aquele encontro.

— Oh! Mr. Sherlock Holmes! — gritou ela. — Eu estou tão feliz que tenha vindo. Eu dirigi até aqui para lhe dizer isso. Eu sei que James não cometeu esse crime, eu sei. Eu gostaria que você me ajudasse a provar que isso é verdade. Não duvide do que eu lhe digo, nós dois nos conhecemos desde criança, eu conheço suas falhas como ninguém, mas ele é muito gentil para machucar até mesmo uma mosca. Essa acusação é absurda para qualquer um que o conheça.

— Eu espero que possamos inocentá-lo, Miss Turner — disse Sherlock Holmes. — Você pode confiar que eu estarei fazendo o meu máximo.

— Mas você leu as evidências. Você chegou a alguma conclusão? Você não encontrou nenhuma falha ou lacuna? Você realmente acha que ele é inocente? — disse Lestrade.

— Eu acho que é muito provável.

— Disso que estou falando! — gritou ela olhando para Lestrade. — Você ouviu! Ele me traz esperanças!

Lestrade deu de ombros.

— Eu acho que meu colega se precipitou um pouco em suas conclusões — disse ele.

— Mas ele está certo. Ah, eu tenho certeza que ele está certo. James jamais faria isso. E a respeito de sua discussão com seu pai, eu tenho certeza de que ele não falou nada porque eu estou envolvida nela.

— De que forma? — perguntou Holmes.

— Não há tempo para que eu esconda algo. James e seu pai tiveram muitos desentendimentos por minha causa.

Mr. McCarthy insistia que deveria haver um casamento entre nós. James e eu sempre nos amamos como irmãos, mas é claro que somos jovens e vimos muito pouco da vida, não queríamos nos casar. Então, havia muitas discussões entre eles sobre isso, e eu tenho certeza de que essa era uma delas.

— E seu pai? — perguntou Holmes. — Ele era a favor dessa união?

— Não, ele tinha aversão a isso. Ninguém além de Mr. McCarthy estava a favor disso.

Um alívio apareceu em sua face após esse breve interrogatório com Holmes.

— Obrigado pelas informações — disse Holmes. — Posso me encontrar com o seu pai amanhã?

— Eu receio que o médico não autorizará.

— O médico?

— Sim, você não ficou sabendo? Meu pobre pai sempre foi forte, mas dessa vez ele está quebrado. Está de cama e Dr. Willows disse que existe um problema em seu sistema nervoso. Mr. McCarthy foi o único a conhecer meu pai nos velhos tempos em Victoria.

— Ah! Em Victoria! Isso é importante!

— Sim, nas minas.

— Nas minas de ouro, onde, pelo que sei, Mr. Turner juntou sua fortuna.

— Sim, exatamente.

— Obrigado, Miss Turner. Você me trouxe informações que muito me ajudarão.

— Se você tiver novidades, procure-me amanhã. E quando for visitar James na cadeia, diga a ele que eu acredito em sua inocência.

— Pode deixar, Miss Turner.

— Eu preciso ir para casa agora, meu pai está lá e ele sente muito minha falta. Adeus, eu espero que Deus o ajude a resolver tudo isso.

Ela saiu apressada e rapidamente ouvimos as rodas de seu carro saindo pela rua.

— Eu estou envergonhado por você, Holmes — disse Lestrade indignado depois de alguns minutos de silêncio. — Por que você lhe deu expectativas se você sabe que não poderá cumprir? Eu não sou muito mole de coração, mas isso foi cruel.

— Eu acho que vejo um caminho para limpar a barra de James McCarthy — disse Holmes. — Você tem um mandado para visitá-lo na prisão?

— Sim, mas apenas para mim e para você.

— Então eu devo reconsiderar meus planos de não sair à noite. Ainda temos tempo para vê-lo hoje?

— Sim.

— Então deixe-nos ir, Watson, eu só vou demorar algumas horas.

Eu andei até a estação com eles e, em seguida, passei pelas ruas da pequena cidade, finalmente retornando ao hotel, onde eu me deitei no sofá e tentei me entreter com um romance. O argumento da história era tão insignificante comparado ao mistérios que estávamos sondando, que eu deixei a minha atenção vagar e, por fim, atirei o livro na sala e me entreguei inteiramente a uma consideração dos eventos do dia. Supondo que a história desse jovem infeliz fosse absolutamente verdade, que coisa infernal — o que é absolutamente uma calamidade imprevista e extraordinária — poderia ter ocorrido entre o tempo em que ele se separou de seu pai e o momento em que, chamado por seus gritos, ele correu para a clareira? Foi algo terrível e mortal. O que poderia ser? A natureza dos ferimentos revelaria algo aos meus instintos médicos? Bati o sino e pedi o jornal semanal do município que continha um relato literal do inquérito. Foi afirmado pelo médico da biópsia que o terço posterior da esquerda, o osso parietal e a metade esquerda do osso occipital foram quebrados por um golpe pesado de uma arma contundente. Marquei o local em minha própria cabeça. Claramente, o golpe fora efetuado por trás. Isso falava, em certa medida, a favor do acusado, pois, quando foi visto brigando, ele estava cara a cara com seu pai. Ainda assim, não era muito, pois o homem mais velho poderia ter se virado antes de o golpe acertá-lo. Talvez valesse a pena chamar a atenção de Holmes para isso. Depois, houve a morte peculiar e a referência a um rato. O que isso poderia significar? Não poderia ser delírio. Um homem morrendo de um golpe súbito não se torna comumente delirante. Não, era mais provável que fosse uma tentativa de explicar como ele conheceu o destino dele. Mas o que isso poderia indicar? Eu vasculhei meu cérebro para encontrar alguma explicação possível. E depois havia o incidente do pano cinza visto pelo jovem McCarthy. Se isso fosse verdade, o assassino deve ter deixado alguma parte de sua roupa, presumivelmente o seu sobretudo, cair durante a fuga e teve muita frieza para retornar e pegá-la, enquanto o filho estava ajoelhado de costas a poucos metros de distância. Que trama de mistérios e improbabilidades durante todo o dia! Eu não me importei com a opinião de Lestrade, pois eu tinha fé na visão de Sherlock Holmes e não deixei de ter esperança. Além disso, cada fato recente parecia fortalecer sua convicção da inocência do jovem McCarthy!

Já era tarde quando Sherlock Holmes voltou. Ele estava sozinho.

— E então, o que você aprendeu com Lestrade? — perguntei.

— Nada!

— Ele não lhe deu nenhuma luz?

— Nenhuma. Eu estava inclinado a pensar que havia sido alguém que quisesse acabar com o jovem McCarthy e a moça. Mas ele não está pensando nos prazeres rápidos da juventude. Ele a ama, mas quer manter apenas a amizade.

— Eu não consigo entendê-lo. Como pode recusar um casamento com a adorável Miss Turner?

— Ah, deixe-me ajudá-lo a entender. Esse sujeito é loucamente, insanamente, apaixonado por ela, mas, há dois anos, quando ele era apenas um rapaz, e antes que ele realmente a conhecesse, pois ela esteve ausente por cinco anos em um internato, o que o idiota fez? Casou-se com uma mulher e registrou os papéis legais do casamento em Bristol. Ninguém sabe nada sobre isso, mas você pode imaginar o quão enlouquecedor deve ser para ele ser censurado por não estar fazendo o que ele daria os olhos para fazer, mas que ele sabe ser absolutamente impossível. Foi um frenesi desse tipo que o fez jogar as mãos no ar quando seu pai, em sua última entrevista, foi buscá-lo para propor o casamento com Miss. Turner. Por outro lado, ele não tinha meios de se sustentar, e seu pai, que era um homem muito difícil, jogou-o completamente contra a parede para saber a verdade. Foi com sua esposa que ele passou os últimos três dias em Bristol, e seu pai não sabia onde ele estava. Marque esse ponto. Isso é importante. O bem veio do mal quando, no entanto, o jovem recebeu a notícia de que a mulher com a qual ele se casara já tinha um casamento em Bermuda Dockyard. Logo, não havia nenhuma ligação entre eles. Eu acho que essa notícia consolou o jovem McCarthy por tudo que ele sofreu.

— Mas, se ele é inocente, quem fez isso?

— Ah! Quem? Eu chamo sua atenção para alguns pontos em especial. Um é que o homem assassinado tinha um compromisso com alguém no lago, e esse alguém não poderia ser seu filho, pois o mesmo estava viajando, e ele não sabia que seu filho havia retornado. O segundo é que o homem assassinado foi encontrado gritando "Cooeee!" sem saber do retorno de seu filho. Esses são pontos cruciais no caso. Agora vamos falar de George Meredith, se você não se importar, e deixemos os detalhes menores para amanhã.

Às nove da manhã, Lestrade chegou e nós seguimos para a Fazenda Hatherley e para a Piscina de Boscombe.

— Tenho uma notícia grave para vocês nesta manhã — disse Lestrade. — Parece que Mr. Turner está tão mal, que sua vida já está sem perspectiva.

— Ele é mais velho, eu presumo? — perguntou Holmes.

— Por volta dos sessenta, mas ele já está mal há muito tempo. Ele era um velho amigo de McCarthy, e devo acrescentar que fez muito bem a ele. Pelo que sei, ele lhe deu a Fazenda Hatherley de presente.

— De fato, isso é interessante — disse Holmes.

— Oh, claro! Ele o ajudou de muitas outras maneiras. Todos por aqui falavam de sua gentileza.

— Não lhe parece singular o fato de McCarthy, que parecia ter tantas obrigações em relação a Turner, querer que seu filho se casasse com a filha dele, tornando-se assim herdeiro da fazenda? McCarthy falava muito desse casamento, mesmo Turner sendo avesso a essa ideia, como a sua própria filha nos contou. Você não deduz algo dessa situação?

— Nós obtivemos as deduções e as inferências — disse Lestrade, piscando para mim. — Eu já acho difícil o suficiente enfrentar fatos, Holmes, sem ir atrás de teorias e fantasias.

— Você está certo — disse Holmes recatadamente –, você acha muito difícil enfrentar os fatos.

— De qualquer forma, eu me agarrei a um fato que você parece ter dificuldade de assimilar — retrucou Lestrade com um pouco de raiva.

— E qual seria?

— Que o velho McCarthy foi morto pelo filho e que todas as suas teorias são delírios lunáticos.

— Bom, acho que chegamos à Fazenda Hatherley — disse Holmes ignorando Lestrade.

— Sim, é aqui.

Era uma bela casa, com dois andares, telhado de ardósia, uma bela chaminé, paredes acinzentadas e persianas desenhadas. Eu toquei a campainha como Holmes havia pedido e, então, a empregada que nos atendeu nos levou até as botas que McCarthy usava no dia de sua morte para que Holmes pudesse medi-las com precisão. Depois de ter feito isso, partimos pelo caminho sinuoso que levava até a Piscina de Boscombe.

Sherlock Holmes mudou sua feição na mesma hora. O homem pensador, tranquilo e lógico, residente da Baker Street, estava irreconhecível. Seu rosto escureceu. Suas sobrancelhas foram desenhadas em duas linhas pretas rígidas, enquanto seus olhos brilhavam com um brilho acelerado. Seu rosto estava dobrado para baixo, seus ombros curvados, seus lábios comprimidos, e as veias se destacavam em sua pele. As suas narinas pareciam se dilatar como as de um animal que sai para a caça, e sua mente estava tão concentrada sobre o assunto que não poderia ouvir nem uma pergunta naquele momento. Rápido e de forma silenciosa, ele abria caminho no terreno úmido e pantanoso, cheio de marcas de muitos pés. Às vezes Holmes se apressava, às vezes parava e, por vezes, fazia pequenos desvios do caminho para olhar ao redor. Lestrade e eu caminhávamos atrás dele; o detetive olhava de forma indiferente e com desdém para meu amigo, que seguia com um interesse que deixava claro que suas ações estavam sendo desenhadas para chegarmos a um fim definitivo.

A piscina de Boscombe ficava localizada entre a Fazenda Hatherley e a propriedade privada de Mr. Turner. Acima dos bosques que delimitavam seu fim, podíamos ver a propriedade rica ao redor. No lado da fazenda Hatherley, as madeiras eram grossas, e havia uma faixa de grama entre a borda das árvores. Lestrade nos mostrou o ponto exato em que o corpo havia sido encontrado e, de fato, o chão era tão úmido, que eu podia ver claramente os traços que haviam ficado da queda do homem quando foi atingido. Para Holmes, como pude ver em sua expressão ansiosa ao observar tudo aquilo, outras coisas deveriam ser analisadas além da grama. Ele corria como um cão que escolhe um cheiro, e então se virou.

— Por que você entrou no lago? — perguntou a Lestrade.

— Eu pensei que poderia haver alguma outra pista.

— Ah, meu Deus, eu não tenho tempo. Que bom seria se eu tivesse chegado aqui antes de as pessoas virem como uma manada de búfalos para confundir as pegadas. Aqui é o local onde tudo ocorreu, mas nesta região estão três pegadas do mesmo pé.

Ele pegou uma lupa e se deitou sobre elas para ter uma visão melhor.

— Esses são os pés do jovem McCarthy. Por duas vezes ele caminhou, e uma vez saiu correndo rapidamente, como você pode observar no padrão das solas. Isso afirma sua história de que ele correu na direção do pai quando ouviu seus gritos. Aqui estão os pés do pai, quando caminhava de cima para baixo. O que é isso então, vocês se perguntam? Isso é a marca da arma apoiada, enquanto o filho escutava o pai. E o que temos aqui? Essas pegadas de botas bastante incomuns. Elas vêm e vão, é claro. Agora, de onde vieram?

Ele saiu correndo para baixo da trilha. Holmes rastreou o caminho das pegadas e ouvíamos pequenos gritos de satisfação conforme ele seguia seu caminho. Ele examinou cuidadosamente o musgo até chegar à estrada alta, onde todos os traços foram perdidos.

— Este é um caso de interesse considerável — observou ele, voltando à sua maneira natural. — Eu acho que essa casa cinzenta é a de Moran. Vou entrar e ter uma palavra com ele, e talvez escreva um pequeno bilhete. Depois, podemos voltar para almoçar. Você pode ir para o táxi que eu o alcanço em seguida.

Em cerca de dez minutos já estávamos no carro e Holmes ainda carregava uma pedra que ele pegara na floresta.

— Isso deve lhe interessar, Lestrade — disse Holmes. — O assassinato foi cometido com isso.

— Eu não vejo nenhuma marca.

— Não há nenhuma.

— Como você sabe então?

— Havia grama crescendo em volta dela. Só estava ali havia alguns dias. Não tinha nenhum outro sinal de outra arma.

— E o assassino?

— É um homem alto, canhoto, coxeando com a perna direita, veste botas de tiro de sementes grossas e um manto cinza, fuma charutos indianos, usa um porta-cigarros e carrega uma carteira. Existem várias outras indicações, mas essas podem ser suficientes para nos ajudar na nossa busca.

Lestrade riu.

— Eu ainda estou um pouco cético — disse ele. — As teorias estão bem pensadas, mas nós teremos que lidar com a cabeça dura do júri britânico.

— Eles que nos aguardem — respondeu Holmes calmamente. — Você tem seu método, eu tenho o meu. Estarei ocupado hoje à tarde e provavelmente retornarei a Londres no próximo trem.

— E vai largar seu caso inacabado?

— Não, acabado.

— Mas e quanto ao mistério?

— Está resolvido.

— E quem é o criminoso?

— O cavalheiro que eu descrevi.

— Mas quem é ele?

— Com certeza não será difícil você encontrá-lo. Este não é um povoado muito grande.

Lestrade deu de ombros.

— Eu sou um homem prático — disse ele –, e eu não posso sair por aí procurando um homem aleatoriamente. Eu vou me tornar a piada da Scotland Yard.

— Está bem — disse Holmes. — Eu lhe dei a chance. Aqui estão os locais. Tchau. Eu devo deixar uma carta antes de partir.

Tendo deixado Lestrade em seus aposentos, nós voltamos para o hotel, onde encontramos um almoço em cima da mesa. Holmes estava silencioso e encabulado, com uma expressão pensativa em seu rosto, como alguém que está perplexo.

— Olhe aqui, Watson — disse ele –, sente-se nessa cadeira e deixe-me falar algumas coisas para você. Eu não sei o que fazer, preciso de seu conselho. Acenda meu cigarro e vou compartilhar com você.

— Faça isso.

— Bem, agora, em consideração a esse caso, há dois pontos sobre o jovem McCarthy que nos surpreenderam instantaneamente. Um é o fato de que seu pai deveria chamá-lo usando o grito "Coooe". O outro é que, ao morrer, ele fez referência a um rato. Agora, a partir dessa informação, começaremos nossa pesquisa presumindo que tudo que o rapaz disse é absolutamente verdade.

— O que é "Coooooe!" então?

— Bem, obviamente não foi para o filho. Afinal, pelo que o pai sabia, ele estava em Bristol. O grito foi para atrair a atenção de a pessoa com a qual ele tinha marcado o compromisso. Mas "Coooee" é um grito tipicamente australiano, e é usado entre os australianos. Existe uma grande chance da pessoa que estivesse indo se encontrar com Mr. McCarthy ser um australiano.

— E quanto ao rato, então?

Sherlock Holmes pegou um papel guardado em seu bolso e abriu-o sobre a mesa.

— Este é um mapa da Colônia de Victoria — disse ele. — Eu peguei em Bristol na noite passada — ele colocou sua mão sobre uma parte do mapa. — O que você lê?

— ARAT — li.

— E agora? — ele levantou a mão.

— BALLARAT.

— Muito bem! Essa foi a última palavra que o homem proferiu, mas o filho só captou as duas últimas sílabas. Ele estava tentando pronunciar o nome de seu assassino. Ele é de Ballarat.

— Isso é maravilhoso! — exclamei.

— É óbvio. E agora, veja, eu já havia reduzido nosso campo de especulação pela minha busca. A posse de um vestuário cinza era outra informação já contida. Agora, nós saímos da imprecisão para o definitivo. Nosso assassino é um australiano de Ballarat com um casaco cinza.

— Certamente.

— E essa pessoa só pode ter entrado por uma das propriedades, pois ambas eram privadas e dificilmente estranhos estariam vagando por ali.

— Exato!

— Então agora partiremos em nossa expedição de hoje. Eu dei alguns detalhes para aquele imbecil do Lestrade, mas ele não é bom o suficiente.

— Mas como você percebeu os detalhes?

— Você conhece meu método. Baseia-se na observação do que é trivial.

— Já sabemos sua altura e a aparência de suas botas.

— Sim, são botas peculiares.

— E quanto ao fato de ele ser manco?

— A marca do seu pé direito era sempre diferente da do esquerdo. Ele colocava menos peso sobre ele. Por quê? Porque ele é manco.

— E quanto ao fato de ele ser canhoto?

O golpe foi dado na parte de trás e do lado esquerdo. Como pode um homem estar parado atrás de uma árvore e dar um golpe fatal com a mão esquerda sem ser canhoto? E tenho certeza de que ele ficou por lá, encontrei a cinza de charuto atrás dessa árvore. E meu conhecimento elevado sobre fumo pode me levar a concluir que era um charuto indiano. Eu dei certa atenção a isso na minha monografia sobre os 140 tipos diferentes de fumos. Ao ver a cinza, logo descobri que era de um charuto indiano que se pode encontrar em Rotterdam.

— Holmes, você desenhou tudo isso de forma tão perfeita! Você literalmente salvou uma vida humana inocente. Realmente a corda saiu do pescoço de James e tudo indica que ela aponta para o culpado que é...

— Mr. John Turner — gritou o recepcionista do hotel abrindo a porta da sala de estar em que estávamos.

O homem que entrou era uma figura estranha e impressionante. De passo lento, manco e de ombros curvados, tinha a aparência de decadência; no entanto, suas características duras, profundas e escarpadas e seus membros enormes demonstravam que ele era possuidor de um corpo forte. Sua barba emaranhada, cinza, cabelos e sobrancelhas pendentes e caídos eram combinados para dar um ar de dignidade e poder para sua aparência. Seu rosto era pálido, enquanto seus lábios e os cantos de suas narinas eram tingidos com uma tonalidade de azul. Ficou claro para mim, de relance, que ele estava preso a alguma doença mortal e crônica.

— Por favor, sente-se — disse Holmes. — Você tem minhas anotações?

— Sim, trouxeram até mim e disseram que você preferia me ver aqui para evitar escândalos. E por que você quis me ver? — ele olhou em volta com um ar desconfiado.

— Sim, eu já sei sobre McCarthy — disse Holmes.

O velho colocou a mão em seu rosto.

— Deus me ajude! — chorou. — Mas eu não deixaria esse jovem se dar mal. Eu dou minha palavra a você que falarei em seu favor.

— Fico feliz de ouvi-lo dizendo isso — disse Holmes.

— Eu não falei para não partir o coração da minha pobre menina. Partiria seu coração me ver preso.

— Pode não chegar a isso — disse Holmes.

— O quê?

— Eu não sou um agente oficial. E sei que foi sua filha que pediu minha presença aqui, e eu estou agindo do modo que lhe interessa libertando o jovem McCarthy.

— Eu sou um homem que está morrendo — disse o velho Turner. — Eu tenho diabetes por anos. Meu médico disse que é questão de um mês até eu morrer. Mas eu prefiro morrer no meu telhado do que em uma gaiola.

Holmes levantou-se e sentou-se à mesa com a caneta na mão e um pacote de papel diante dele.

— Diga-nos a verdade — disse. — Eu vou anotar os fatos. Você vai assinar, e Watson pode testemunhar isso. Então eu poderei produzir sua confissão no último momento para salvar o jovem McCarthy. Eu prometo a você que eu não usarei isso a menos que seja absolutamente necessário.

— Então está bem — disse o velho homem –, é uma questão de cuidado, pois eu vivo por aqui, e a notícia se espalhará. Eu gostaria de ser o primeiro contar a Alice sobre o ocorrido. Agora eu vou deixar tudo claro para você, não vai demorar muito.

"Você não conheceu o velho McCarthy. Ele era o diabo encarnado. Eu lhe digo isso. Suas garras estiveram sobre mim nesses últimos vinte anos e ele estragou minha vida. Vou lhe contar primeiro como eu acabei ficando nas mãos dele.

Foi no começo dos anos 60. Eu era um jovem de sangue quente e imprudente, estava sempre me metendo em brigas. Eu entrei para um grupo de companheiros assim, nós bebíamos muito e começamos a fazer roubos em rodovias. Havia seis de nós, tínhamos uma vida selvagem e livre, eu era conhecido como Black Jack de Ballarat, e em nossa colônia ficamos lembrados como a gangue Ballarat.

Um dia descia pela estrada que vinha de Melbourne até Ballarat um comboio de ouro e nós o atacamos. Havia seis soldados e seis de nós. Três de nossos meninos foram mortos, no entanto, antes que pudéssemos pegar o ouro. Eu coloquei minha arma em direção à cabeça do motorista do vagão, que era o falecido McCarthy. Eu já desejei que tivesse atirado contra ele, mas não o fiz. Nós fugimos com o ouro, nos tornamos homens ricos e fizemos a nossa vida na Inglaterra sem que ninguém suspeitasse de nada. Na Inglaterra, separei-me dos meus velhos amigos e me decidi por estabelecer uma vida respeitável e correta. Comprei essa propriedade e propus-me a fazer coisas boas com o dinheiro que eu havia juntado. Eu me tornei outro homem para compensar o mal cometido no passado. Tudo ia muito bem, quando McCarthy tomou o controle sobre mim.

Eu tinha ido à cidade ver alguns negócios e me encontrei com ele na Rua Regent em uma situação péssima.

'Aqui estamos, Jack', disse-me tocando nos meus braços, 'nós seremos como uma família para você, eu e meu filho, a menos que você queira cair nas mãos da rígida legislação da Inglaterra.'

Foi assim que dei a eles minha melhor terra. Não houve descanso para mim, nem paz, nem esquecimento como eu gostaria. Ele estava sempre ali para me fazer lembrar do passado. As coisas pioraram quando Alice cresceu, pois ele logo viu que eu tinha mais medo de que ela soubesse do meu passado do que a polícia. Eu entregava tudo a ele, tudo que ele me pedisse eu dava, sem sombra de dúvida. Até que um dia ele me pediu algo que eu jamais daria. Ele pediu Alice.

O filho dele cresceu com a minha menina e, como eu era conhecido por estar com a saúde fraca, pareceu-lhe um excelente golpe que seu filho tomasse a mão de minha filha. Eu não tinha problemas diretos com o rapaz, mas o sangue de McCarthy estava nele e isso já era suficiente para que eu não o desejasse perto da minha filha. McCarthy começou a me ameaçar seriamente; foi quando marcamos o encontro na piscina.

Quando cheguei lá, ele estava com o filho; então esperei atrás de uma árvore fumando um charuto até ele estar sozinho. Mas, enquanto eu escutava a conversa, tudo me parecia tão sombrio e amargo. Ele estava brigando com o filho para que se casasse com minha menina, e se referia a ela como se fosse uma vagabunda das ruas. Isso começou a me irritar profundamente. Eu sabia que minha vida logo acabaria, mas e minha garota? Tudo que construí até hoje nas mãos desse canalha? Eu não poderia aguentar. Foi nessa hora que decidi acabar com ele sem piedade, como se estivesse atacando um animal sujo. Seu choro trouxe de volta seu filho, mas eu já estava saindo do local. Essa é a verdadeira história, senhores."

— Bom, não cabe a mim julgá-lo — disse Holmes enquanto o velho homem assinava o seu testemunho.

— Eu espero que não. E o que você pretende fazer?

Em consideração a sua saúde, nada. Você terá que lidar com a morte muito em breve. Eu vou guardar sua confissão comigo e, se McCarthy for condenado, eu serei forçado a usá-la. Do contrário, nunca ninguém jamais verá este pedaço de papel, e seu segredo, você estando vivo ou morto, estará a salvo conosco.

— Adeus, então — disse o velho solenemente. — Agora eu posso morrer em paz — disse saindo da sala lentamente, tremendo e tropeçando.

— Deus nos ajude! — disse Holmes. — Por que o destino pregou essa peça a esse pobre homem? Eu nunca imaginei um caso como esse. Como diria Baxter: "Onde não está a graça de Deus, aparece Sherlock Holmes".

James McCarthy foi absolvido pela corte graças ao número imenso de objeções trazidas por Holmes ao advogado de defesa. O velho Turner viveu apenas por mais sete meses depois da nossa entrevista. Hoje, o filho e a filha dos dois homens podem viver felizes na ignorância da nuvem negra que recai sobre seus passados.

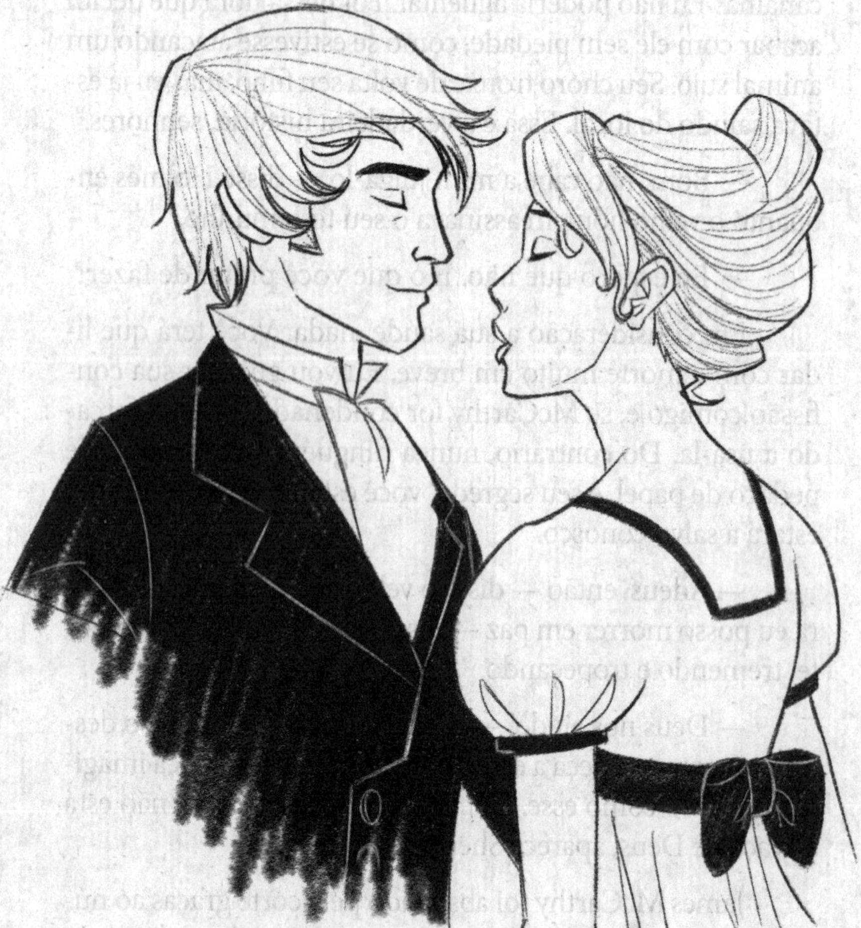

Sir Arthur Conan Doyle (1859-1930)

Arthur Conan Doyle era de família escocesa, respeitada no ramo das artes. Aos nove anos, foi estudar em Londres. No internato, era vítima de *bullying* e dos maus-tratos da instituição. Encontrou consolo na literatura e rapidamente conquistou um público composto por estudantes mais jovens.

Quando terminou o colégio, decidiu estudar medicina na Universidade de Edimburgo. Lá, conheceu o professor Dr. Joseph Bell, quem o inspirou a criar seu mais famoso personagem, o detetive Sherlock Holmes. Em 1890, no romance *Um Estudo em Vermelho*, iniciou a saga de aventuras do detetive. Ao todo, Holmes e seu assistente, Watson, foram protagonistas de 60 histórias.

Doyle casou-se duas vezes. Sua primeira esposa, Luisa Hawkins, com quem teve uma menina e um menino, faleceu de tuberculose. Com Jean Leckie casou-se em 1907 e teve três filhos.

Abandonou a medicina para dedicar-se à carreira de escritor. Seus livros mais populares de Sherlock Holmes foram: *O Signo dos Quatro* (1890), *As Aventuras de Sherlock Holmes* (1892), *As Memórias de Sherlock Holmes* (1894) e *O Cão dos Baskervilles* (1901). Em 1928, Doyle publicou as últimas doze histórias sobre o detetive em uma coletânea chamada *O Arquivo Secreto de Sherlock Holmes*.

Todos os direitos desta edição
reservados para Editora Pé da Letra
www.editorapedaletra.com.br

© A&A Studio de Criação — 2017

Direção editorial	James Misse
Edição	Andressa Maltese
Ilustração	Leonardo Malavazzi
Tradução e adaptação	Gabriela Bauerfeldt
Revisão de Texto	Nilce Bechara
	Marcelo Montoza

DCIP-BRASIL. CATALOGAÇÃO-NA-FONTE
SINDICATO NACIONAL DOS EDITORES DE LIVROS, RJ

D784e
Doyle, Arthur Conan
Um escândalo na boemia e outras aventuras / Arthur Conan Doyle ; tradução Gabriela Bauerfeldt. - 1. ed. - Cotia, SP : Pé da Letra, 2017.
: il.

Tradução de: A scandal in bohemia
ISBN 978-85-9520-076-0

1. Conto infantojuvenil escocês. I. Bauerfeldt, Gabriela. II. Título.

17-46492	CDD: 028.5
	CDU: 087.5

Um escândalo na Boêmia
e outras aventuras

Em 1887, Arthur Conan Doyle trazia à vida o lendário Sherlock Holmes. O detetive, na companhia de seu colega, Dr. John Watson, desvenda desde então os mais incríveis mistérios e é, com certeza, um dos maiores personagens da história da literatura policial.

O conto *Um escândalo na Boêmia* faz parte da coletânea de contos mais conhecida do autor e cativou a todos desde que foi apresentado ao público, tornando-se uma das histórias mais famosas do detetive. Neste livro, você encontra essa e outras aventuras.

A lógica cativante, o raciocínio instigante e o suspense presentes nas histórias são só algumas das características que farão você se apaixonar pelos livros. A coleção da Pé da Letra apresenta romances e coletâneas de contos com os mais diversos casos do famoso detetive.

Embarque nesta aventura e veja se você consegue solucionar com Holmes os mistérios aqui presentes!

facebook.com/EdPeDaLetra
instagram.com/editorapedaletra
www.editorapedaletra.com.br

Todos os direitos desta edição reservados para Editora Pé da Letra.

ISBN 978-85-9520-076-0

O SIGNO DOS QUATRO

SIR ARTHUR CONAN DOYLE
SHERLOCK HOLMES